Assessment Consultation

心理療法に先立つ
アセスメント・
コンサルテーション
入門

Sendo Yuka
仙道由香

誠信書房

目 次

序章 「アセスメント・コンサルテーション」への招待 ―― 3

- I はじめに 3
- II 「アセスメント・コンサルテーション」? 5
- III 来る者は拒まず? 7
- IV 何がベストか考える 9
- V いくつかの前置き 10
- VI こんな人に 11
- VII プライバシーの保護にまつわる但し書き 11

第I部 アセスメント・コンサルテーションの基本

第1章 アセスメント・コンサルテーションとは ―― 15

- I 何をしようとしているのか 15
- II 「アセスメント・コンサルテーション＝心理検査」ではない 18
- III 「でも，難しい」 19
- IV 精神分析的心理療法とアセスメント・コンサルテーション 22
  1. 原則的な姿 22
  2. 原則的なもの以外およびその他 23
- V 限界ある資源とその分配（レーショニング） 28
  1. 判断に際し絡みあう要素 29
  2. 精神分析的心理療法の限界 29
  3. 心理療法家の限界 31
  4. 資源配分（レーショニング） 33

i

第2章　アセスメント・コンサルテーションの全体の流れ ——— 34

Ⅰ　Step 1：準備段階　34
Ⅱ　Step 2：ご紹介（状）の到着
　　　　——広義のアセスメント・コンサルテーションの始まり　35
Ⅲ　Step 3：アセスメント・コンサルテーションの本体——狭義のアセスメント・コンサルテーション　36
Ⅳ　Step 4：後処理　37

第Ⅱ部　アセスメント・コンサルテーションの進め方

第3章　Step 1：準備段階 ——— 41

Ⅰ　自分自身のアセスメント　41
　　1．手持ちの札　41
　　2．技術的な状況：学びながらの実践　43
　　3．個人的な状況：心の動かなさと未解決の問題　46
　　4．自分のパラダイムを選ぶ　49
Ⅱ　自分の組織・現場のアセスメント　51
　　1．歴史を踏まえた特徴　51
　　2．その組織の構造を踏まえた特徴　52
　　3．所属メンバーの関係性を踏まえた特徴　53
　　4．組織を構成するさまざまな人々　54
　　5．状況を踏まえた特徴　55
Ⅲ　想像とシミュレーション　56
Ⅳ　具体的な用意　58
　　1．物理的な容れ物　58
　　2．セッションルームまでの導線　60
　　3．連絡手段　61
　　4．タイムテーブル　62
　　5．ウエイティング・リスト　63
　　6．料金と支払い　64
　　7．セッション数とセッション長　64
　　8．設定　68

9．受付質問票　69

第4章　Step 2：ご紹介（状）の到着 ——————— 73
——広義のアセスメント・コンサルテーションの始まり——

Ⅰ　ご紹介（状）を受け取る　73
Ⅱ　ご紹介者とのコミュニケーションとコンサルテーション　75
Ⅲ　この段階における転移・逆転移　78
Ⅳ　アセスメント・コンサルテーションを引き受ける——狭義のアセスメント・コンサルテーションへ　78

1．初回予約を取る　79
2．予約成立の手紙を紹介者に送る　81
3．受付質問票の受け渡しと記入　83

第5章　Step 3：アセスメント・コンサルテーションの本体 ——— 89
——狭義のアセスメント・コンサルテーション——

Ⅰ　初回セッション　90

1．初回セッションの特徴——"未知との遭遇"　90
2．到着　92
3．落ち着くまで　95
4．口火を切る　96
5．アセスメント・コンサルテーションの目的共有　97
6．どのように何を語るか　99
7．夢を聴く　100
8．転移・逆転移，そして転移解釈　100

Ⅱ　第2セッション以降　102

1．第2セッション以降の特徴——"既知との再会"　102
2．夢を聴く　105

Ⅲ　無意識の世界を探る　106

1．無意識の領域への接触　106
2．言うは易く行うは難し　107
3．夢をとおして無意識を聴く　110

Ⅳ　プロセス全体を通しての見どころ①──「モチベーション」「心理療法」の真の意味　117

　　1．「モチベーション」の真の意味　117
　　2．「心理療法」の真の意味　118

Ⅴ　プロセス全体を通しての見どころ②──5つの観点　120

　　1．患者と対象との関わり　121
　　2．患者自身の心の世界との関わり　124
　　3．心的発達段階　127
　　4．継時的変化　133
　　5．反応　135

Ⅵ　反応を観察することの重要性　137

Ⅶ　アセスメント・コンサルテーションを終える　138

　　1．「それで，何者ですか？」──個別のストーリー　139
　　2．今，その人に，心理療法は役に立ちそうだろうか　142
　　3．あなたは，あなたの属するその組織は，今，その人の役に立ちそうだろうか？　143

Ⅷ　治療選択肢の提示とアセスメント・コンサルテーションのループ　146

　　1．治療選択肢の提示　146
　　2．さまざまな治療選択肢の例　150

第6章　Step 4：後処理 ────── 154

Ⅰ　紹介者への手紙　154
Ⅱ　患者への手紙　159
Ⅲ　アセスメント・サマリー──将来の自分および同僚への手紙　159
Ⅳ　リスクについて　161

　　1．自傷行為およびそれに類する行為，希死念慮，自殺企図など　162
　　2．自分自身に対するネグレクトや摂食障害　163
　　3．安定した対象関係の欠如，繰り返される治療からのドロップアウト　163
　　4．同居の大人や子どもに対する暴力（DV，虐待など）　164
　　5．高い衝動性，攻撃性，その他不安時の振る舞い　164
　　6．犯罪歴，触法行為，その他反社会的行為等　165

7．アルコールやその他各種薬物の濫用および不適切な使用　165
   8．精神科等への入院歴　165
   9．現在進行形の身体疾患・精神疾患　166
   10．社会からの孤立　166

第Ⅲ部　アセスメント・コンサルテーションの実践

第7章　アセスメントの限界について ―― 169
Ⅰ　アセスメント・コンサルテーションの限界　169
Ⅱ　担当者を変えるかどうかにまつわるあれこれ　172
   1．担当者を変えない場合　172
   2．担当者を変える場合　172

第8章　どのようにアセスメントの質を向上させていけるか ―― 175
Ⅰ　スーパービジョンを受けながらの継続　175
Ⅱ　自分で考えること　176
Ⅲ　反省会と「筋トレ」　177
Ⅳ　自分の心に触れ続ける　178
Ⅴ　専門外の諸々に触れる――寄り道　179

第9章　事　例 ―― 181
――アセスメント・コンサルテーションの実際――

Ⅰ　ご紹介　181
Ⅱ　受付質問票の受け渡しとその内容　182
Ⅲ　第1セッション　183
Ⅳ　第2セッション　187
Ⅴ　この段階での検討　191
Ⅵ　治療選択肢の提案　193
Ⅶ　最終セッション　194
Ⅷ　紹介者への手紙　199

おわりに　201
付録1：アセスメント・コンサルテーション受付票　207
付録2：アセスメント・コンサルテーション・サマリー　216
参考文献　221
索　　引　227

心理療法に先立つ
アセスメント・コンサルテーション入門

序　章
「アセスメント・コンサルテーション」への招待

I　はじめに

　著者はロンドンのタビストック・クリニック成人部門において専門的トレーニングを受けた精神分析的心理療法家である。

　同クリニックのトレーニングは，それぞれの訓練生が在籍していた時代や政情，所属部門，在籍期間や訓練生個々人のニーズなど諸々の要因によってバラエティに富んでいる。「タビストック・クリニック」という固有の，固形の，不変の何かがあるわけではなく，良くも悪くも，もっとフレキシブルで，もっと個人的なものだ。あれを"トレーニング機関"だという人もいるし，"臨床現場"だという人もいる。筆者にとってあれは徹頭徹尾臨床現場だった。毎週大量に文献を読むとか，修了にあたり論文を書くとか，アカデミックな側面も確かにあったが，筆者にとってあれは臨床家としての責任とプライドを負って任務にあたるクリニックだった。

　筆者はあそこでさまざまな臨床活動をさせてもらった。たとえば週1－3回の頻度で成人の個人・カップル・集団を対象とする精神分析的心理療法と，それらに先立つアセスメント・コンサルテーションを，すべてスーパービジョンを受けながら。2年間にわたる乳児観察。最後の約1年半はクリニカル・リファーラル・コーディネイター[*1]の役も担わせてもらった。正直に言うなら，この役を引き受けるのは最初は気が進まなかった。しかしこの役割を通して，本書のテーマであるアセスメント・コンサルテーションについてより深く理解する

ことができたし，自分はすでに"お客さん"ではなく，クリニカル・チームの一員なのだと体験によってわからせてもらった。日本語訛りの英語を話す東洋人というマイノリティとして，英国そしてタビストック・クリニックという異文化（アウェイ）の中にどう自分の居場所を見出し，安心して存在するかという，いち人間としての日常的四苦八苦と並行して取り組むには，成人部門での専門的トレーニングはいささか重たくて過酷なものだった。けれども，ロンドン到着後第二日目からそこを立ち去る時までずっと，筆者自身を精神分析するために会い続けてくれた精神分析家と，訓練の日々を通じて得た仲間たちに支えられ，数々の偶然や幸運にも助けられて，最後までやり通すことがかなったと思う。

　このような専門的トレーニングで学んださまざまなことの中で，特に本書においてお話ししたいのは，アセスメント・コンサルテーションの重要性と実際についてである。「心理療法」「カウンセリング」「話を聞いてもらうこと」などを「求め」「希望する」さまざまな患者たちを目の前に迎え，われわれ心理療法家はどのようなことをどう観察し，どう思考し，どう判断するのだろうか。本書ではそのプロセスにおけるあれこれについて考えてみたい。

　著者は現在，臨床活動を生業としている。それと平行して，さまざまな町でセミナー等もおこなっている。なかでもアセスメント・コンサルテーションは，臨床心理学専攻の大学院生など初学者から多様な臨床現場で経験を積んだ臨床家まで，幅広い層の関心を集めるトピックであり，現場のニーズを実感する。しかし，心理療法そのものが，数回セミナーに参加したり何本かの論文を読んだりして，頭で知的に理解しただけで実践に移すことができるわけではないのと同じように，アセスメント・コンサルテーションもまた知的に学んだだけではどうにもならない。独特の技法的特徴もある実技なのだ（Garelick, 1994）。頭の中に理論ばかり満ちても，マニュアルや段取りや手順から脱せないのではどうしようもない。書籍で目にした誰かの文言が口をつくばかりで，心身が硬

＊1　Clinical Referral Co-ordinator。ご紹介状が届いた際，その1件1件に関してアセスメント・コンサルテーションをおこなうかどうか検討し，判断する。そのために必要な臨床情報を追加で集めたり，紹介者と連絡を取り合って話し合ったりする役割。この段階でお断りする場合は，その事由を説明したり代替案を提案したりもする。

直し，眼前の患者と対話できないのでは何にもならない。かといって何の理論的背景も何の準備もないのでは，プロとしての存在意義が怪しい。

　以上のような考えから，実技としての側面と理論的背景の両方を支えるべく，筆者は 2015 年から次のようなセミナーを続けてきた。つまり，月 1 回，年間 10 回構成で，1 回のセミナーを前半後半に分け，前半が教科書 "Consultations in Psychoanalytic Psychotherapy"（Hobson, 2013）および関連論文を講読するパート，後半が参加者による事例報告をみなでディスカッションするパート。

　同書はタビストック・クリニック成人部門の諸先輩方が著したもので，豊かな臨床経験に基づき，事例や例えなども多いので，アセスメント・コンサルテーションの教科書としてはもっともお勧めである。しかし精神分析的な考え方をある程度身に着けた人を読者として想定していることや，英国の国営健康保健サービス（National Health Service, NHS）の仕組みや動き方，タビストック・クリニックの動き方を理解していることを前提としている部分があって，同書だけ読んでも理解が難しい側面が否めなかったり，いくつか調整したかった部分もあって，このたびセミナー参加者やスーパーバイジーたちと積み重ねてきた対話をもとに，僭越ながら重ねて本書を作ることにした。

　まだ精神分析的な考え方に触れ始めたばかりの段階の方にも，アセスメント・コンサルテーションの概要が思い描けるような本にできたらと思う。

Ⅱ　「アセスメント・コンサルテーション」？

　「アセスメント・コンサルテーション」という言い方に，戸惑いを覚える方もあるかもしれない。何だそれは，聞き慣れない言葉だ，長くて鬱陶しいし「アセスメント」でいいじゃないかという意見もあるだろう。けれども本書でお伝えしたいことの大事なところは，「アセスメント・コンサルテーション」でなければ表現しきれない。「コンサルテーション」なしの「アセスメント」では絶対的に足らない。詳しくは本書の中でだんだんお話ししてゆくとして，ひとまずここで，その背骨のところだけ共有しておこう。

　そもそもアセスメント assessment は，たとえば Oxford Advanced Learner's Dictionary を引くと「物や人を評価したり，意見を形成したりする行為，ない

しはその評価・意見そのもの、あるいは算出された評価金額(筆者訳)」とあって，専門家が知識や技能を用いて検討し判断する行為，ないしはその結果を意味している。このようなアセスメントは重要だ。それは当然である。さもなければ商取引から税制まで，教育から医療まで，さまざまなものがいい加減で適当なものに成り下がってしまう。心理療法も同様だ。紹介者や患者本人による「この人に（私に）心理療法をしてください」から心理療法家による「はいわかりました」までの間に適切なアセスメントが存在しなければ，いざ心理療法を始めた後でぐだぐだになり，患者を含む関係者一同大変難儀し悲惨なことになる。臨床現場でこうした危機意識が実感を伴って共有されてきているので，筆者のもとにしばしば「アセスメントできるようになりたいがどうしたらいいか」という声が届くのだろう。

こうした声に応えて，みなさんと対話してたちまち気づくのは，できるようになりたいと願っているその「アセスメント」は，上述した辞書的意味の「アセスメント」なのだということ。つまり，専門家（心理療法家）が，非専門家（患者）の状態や症状を一方通行的に査定・評価し，意思決定すること。たとえば「この患者は何々障害である。何々障害に精神分析的心理療法は適用可能か」のように。

このような理解の仕方はシンプルで力強いし，心理療法家にとってある種の救いのように感じられるかもしれない。「助かった，これでもう大丈夫だ！もう心理療法に難儀は生じない！」。ところが実際には，精神分析的心理療法が（他のいかなる心理療法等も）その患者の役に立つかどうかは，患者の状態・症状・障害によって一意に決定されるような，単純なものではない。その患者に何が（最も）役に立つかは，患者側の要因だけでなく，心理療法家の状態，心理療法家が活動する臨床現場の状態，その他，実に多種多様な要因に複雑に左右されるのだ。そして何よりその患者とその心理療法家がやりとりすること，そもそもやりとりできるのか，どのようにやりとりできるのかにこそ，重要な情報が含まれている。心理療法そのものが二者間の双方向コミュニケーションであるのと同じように，「アセスメント」も二者間の双方向コミュニケーションであることこそが重要なのだ。双方向コミュニケーションの重要さが，「コンサルテーション」という言葉によって強調されている。「アセスメント」で

は足らない,「アセスメント・コンサルテーション」なのだというのはそういうこと。患者と心理療法家,この二人の人間は話し合い,やりとりをし,互いに理解を共有する。

- アセスメント……専門家として,患者とその問題を理解しようとする側面。
- コンサルテーション……その理解に基づいて,患者に語りかけ,理解を共有しようとする側面。最終的には理解に基づいて治療選択肢を提案し,話し合い,合意に至ろうとする。

　プロセスの中に,この両方の側面が含まれていることが大切である。これが筆者の英国での経験を踏まえた本書の提案だ。何を当たり前のことを,と言うかもしれない。しかし,まるで占い師が水晶玉でも覗き込むかのように,こちら側から黙って患者を見つめていれば何かが(何もかもが)わかると信じているらしい心理療法家にしばしば出会う。筆者は本書を通して,このことに問題提起をしたい。

Ⅲ　来る者は拒まず？

　かつて渡英前に筆者が心理療法をおこなう際に考えていたのは,「来る者は拒まず,来る依頼も拒まず,患者や依頼者の希望(指示)に最大限に添うべし」だった。「とにかく話を聴いてもらってすっきりしたい」と言われれば聴く。「この人と心理療法をしてほしい」と言われればする。やる気と情熱はあり余っていたが,かなり心許ない精神分析的な理解と,お互い一対一で面と向かって話すという手段しか持ちあわせがなかったから,考えるもなにも,闇雲に心理療法を始め,いざ始めてから途方に暮れたり,翻弄されたり,虚しくなったりした。もちろんスーパービジョンも受けたり,自分が心理療法を受けたり,あちこちセミナーに出たりと努力はしたが,特段の手応えもなく,このままではどうしようもないという焦りばかり募っていた。
　今この本を手に取っているあなたにも,思い当たるところがあるのではない

だろうか？

　そんな私が駆け出しの頃，ある病棟でおこなった心理療法は，さほど長い期間を経ずして惨憺たる終焉を迎えた。患者の激しい自殺の試みによって。それは筆者が不在でスタッフ全体も手薄な祝日におこなわれ，患者自身ばかりか，下手をすると病棟そのものも破壊されかねないものだった。その事件が起こったことを知ったとき，筆者は身体ごと痺れて遠い場所に吹き飛ばされ，その大部分を失ってしまったと感じた。

　その事件に至るまでの日々。患者本人が味わっているだろう絶望。この結末を避けられなかった悔恨。こんな事件を起こした患者に対する忿怒。事件後の同僚たちの様子。対応に奔走する医師や看護師たちと，ただ凹んで固まっている自分のコントラスト。それらは，今なお脳裏に蘇り，冷や汗を噴き出させる。

　チームで患者をみていたのだから，筆者ひとりの責任だと考えるのは自虐的すぎるし，むしろ万能的すぎて尊大だとさえ思う（何様のつもりだ）。それにしてもあの頃，筆者の技量は明らかに未熟だったし，アセスメント・コンサルテーションも知らなかった。あのときどうすればよかったのか。もしアセスメント・コンサルテーションをおこなっていたなら？　きっともう少し展開を予想できた。もう少し違うように動けた。後悔。反省。懺悔。いや，考えろ。考え続けるしかないのだ。

　いま筆者はスーパービジョンや事例検討会などを通し，さまざまな臨床現場で働く方々の実践の様子を聴かせてもらう立場にある。彼らは多かれ少なかれ，かつての筆者のように，患者や依頼者の要望に一心に，時に無心に，添い遂げようとし続けているようにみえる。それは美徳でもあろう。確かにそうだ。けれども筆者は伝えたい。いや待て，いったん立ち止まって考えてみよう，機械のようにただ闇雲に進まず，あなたの頭で考え，心で感じてみよう，と。

　失敗は成功の母であるという。あらゆる実技と同じように，臨床技術もまた幾多の個人的失敗と個人的試行錯誤の累積によってしか身につかないだろう。それがまごうかたなき事実であっても，それでもなお，後輩たちが筆者と同じ失敗をどうかせずに済むように，あの絶望をどうか味わわずに済むようにと願わずにはいられない。

問：「アセスメント・コンサルテーション」と聞いて何を思い浮かべますか。
問：普段「アセスメント・コンサルテーション」をおこなっていますか。
問：普段どのように「アセスメント・コンサルテーション」をおこなっていますか。
問：「アセスメント・コンサルテーション」にまつわる問題意識はどんなものですか。

Ⅳ　何がベストか考える

アセスメント・コンサルテーションとは，端的に言うと次のようなものだ（Hobson, 2013）。

A．特定の時点における特定の個人に対し，どのような治療選択肢が，予想されるデメリットにもかかわらず，もっとも貢献しそうか，総合的に検討し判断すること。判断の根拠は，さまざまな背景情報，多角的に観察した情報，こちらのコメントに対する反応，その継時的変化など。
B．その治療選択肢を患者本人に説明し同意に至る，その話し合いのプロセス全体。
C．その方がデメリットに比してメリットが大きいと考えられるなら，他の治療機関に紹介したり，心理療法以外の選択を勧めることも当然辞さない。

このような率直で真剣な理解への試みと話し合いのプロセスは，それそのものが，患者にとって治療としての意味を持ち得る。たとえ今は心理療法を始めないという結論に達したとしても，アセスメント・コンサルテーションを通して心理療法家に出会ったことが，初めての，新しい種類の有意義な体験として患者の心に刻まれるかもしれないのだ。そしていつか将来，適切なときが訪れたなら，その良き体験の記憶を基盤に患者は歩き始めるかもしれないし，今いちど心理療法家の門を叩くかもしれない。それこそが，その人にとって望ましい展開というものだ。

では，われわれはどのようにして，このような体験を人々に提供することが

できるだろう。

V　いくつかの前置き

　「絶対正しい」「これが常識」「普通そうする」などという言葉は信用しない方がいい。この世には唯一絶対のものなど存在しない。臨床技術においても同様だ。絶対に正しいマニュアルなどない。

　だから筆者も，アセスメント・コンサルテーションは本書で紹介するやり方が唯一絶対だなどと主張するつもりはない。それだけはどうか誤解しないでもらいたい。

　本書に紹介した以外のやり方で「アセスメント」をおこなってきた方も大勢おられるだろう。それを否定する意図はない。山頂にたどり着くための登山道はいつも複数あるものだ。むしろ複数存在する方が美しい。

　本書で紹介するのはあくまでも，筆者が筆者のものとして選び取り，日々歩いている道というだけのこと。筆者のものとして選び取った，筆者の手にフィットする道具。それが誰かの役に立てたら存外の喜び，という気持ちで本書を記した。

　本書を作ることには迷いがあった。マニュアルとして受け止められたくなかったから。形式や手順やテクニックに囚われ，汲々とし，それらが本当に意味するものに想いを巡らせようとしない人の姿を日々みるにつけ，自分の意に反して，自分もまたマニュアルのひとつにされてしまうことを拒絶したかった。この本を刺激剤として，どうかあなた自身の頭と心で考えてほしい。

　著者の臨床的な立場は，精神分析的な考え方に基づくものの中で「現代クライン派（Contemporary Kleinian）」と呼ばれるグループに属するが（Spillius, 2011），本書はなるべく，精神分析的な考え方にまだあまり馴染みがない初学者や，精神分析的立場以外，現代クライン派以外の心理療法家にも理解してもらいやすいものになるよう心がけた。本書で全体のイメージがつかめたら，本書を出発点にして，参考文献情報なども頼りに，各自次のステップに進んでいただけたらと思う。

　本書では一貫して，心理療法等を求めてやってくる人を「患者」，われわれ

を「心理療法家」，心理療法を含む諸々の選択肢を一括して「治療選択肢」と記している。みなさんの立場や所属先の特性，考え方に合わせて，適宜，適切な用語に読み替えてもらいたい。たとえば，われわれに会いに来る人々を「患者」と呼ぶか「クライエント」と呼ぶかは，自分が誰とどんな仕事をしているかについての自分自身の考え方を反映している。この機会に，自分がどの用語をなぜ選択するか，考えてみるのもよいだろう（たとえば Coltart［1993］を参照）。

VI　こんな人に

- さまざまな現場で心理療法をおこなう人や，心理療法を求める方々に出会う人……たとえば医療機関，保健機関，各種学校のスクール・カウンセラー，学生相談，個人開業など。
- いわゆる「心理療法」をおこなうことは少なくても，心理療法家としての意見を求められる人……たとえば医療機関，保健機関，各種学校，学生相談など。
- 必ずしも精神分析的な考え方に基づく臨床をおこなっているわけではない人にも。
- 大人の患者を対象にしている人……目安としてはおおむね大学生相当位から。年齢の上限は特にない。子どもたちに関しては，筆者は語るべきことを持たない。適切な参考文献を参照（たとえば鵜飼［2017］など）。

VII　プライバシーの保護にまつわる但し書き

本書に登場する人々のプライバシー保護の観点から一言述べておく。

本書で紹介した長短さまざまの例はいずれも，患者のプライバシーおよび名誉の保護のため，本人を特定できる可能性がある情報を削除・変更したり，場合によって複数の事例を組み合わせ，例として意味をなすよう適切に再構成し直した。

筆者はアセスメント・コンサルテーションをおこなうとき，すべての患者にあらかじめ文書によって，「個人情報を特定されない形で研究目的等で使用さ

れること」に同意・非同意の意思表示をしてもらっている。しかし，そのいずれを選択しようとも，いかなる形でも現時点で関わりが進行中の方々，あるいは直近の数年以内に関わりが終了したばかりの方々には，本書の中で一切触れていない。

　以上については心理療法家についても同様である。

　さまざまの例の中で，心理療法家の第一人称を便宜上「私」と表現している箇所があるが，これは筆者自身であったりなかったりする。

第Ⅰ部

アセスメント・コンサルテーションの基本

第1章
アセスメント・コンサルテーションとは

I　何をしようとしているのか

　筆者が開催するアセスメント・コンサルテーションがテーマのセミナーには，病院など医療現場から学生相談など教育現場まで，多様な場所で臨床活動をおこなう人々およびその志願者たちが参加している。また，それぞれのキャリアにおいて，臨床家としてある程度の経験を積んだ中堅レベルの人から大学院生など初学者に至るまで，多様な段階にある人々が含まれている。臨床活動をおこなううえでの理論的背景は，おおむね精神分析的なアプローチの人々およびそれを志している人々が集まっているとはいえ，やはり多様である。
　いま本書を手に取っておられるあなたも，さまざまな状況でさまざまな背景を持って任務に取り組んでいることだろう。だから話を進める前に，一体何について考えてゆくのか，まず意識を合わせておこう。
　「アセスメント」という言葉から想像するものは，各自の置かれた状況，臨床現場の種類，立場などによって実にさまざまだ。
　まず思い浮かぶものは，おそらく以下のようなものだろう。確かにいずれもが「アセスメント」と呼ばれる可能性を秘めている。

　A．医療現場などで，医師の初診の前に，現病歴，生活史，治療歴などの情報を収集する目的でおこなうもの。「予診」などと呼ばれたりもする。
　B．医療現場などで，医師の診察や診断の参考にするため，何らかの情報や

データを収集する目的でおこなうもの。
C．社会保障制度上の申請書類などに記載するために、何らかのデータを得る目的でおこなうもの。
D．臨床現場で何らかの困難や問題が発生したとき、その理由を探り、対策を検討する目的でおこなうもの。
E．相談機関等に新患が訪れたとき、以降の対応を続行することが同機関の運営目的・機能に合致しているか判断し、スタッフの誰が担当するのが最適か判断する目的でおこなうもの。「インテイク」などと呼ばれたりもする。
F．心理療法目的の紹介を受けたとき、その時点のその患者に心理療法をおこなうことが、不利益に比して大きな利益をもたらしそうか検討し、さらには、どのような心理療法がもっとも大きな利益をもたらしそうか検討するためにおこなうもの。

上記はそれぞれ目的が違い、したがって、それぞれおこなうべきことが異なる。

たとえばA.では比較的短時間内に必要不可欠な背景情報などを聴取し、まとめることに力を注ぐだろうし、B.やC.では複数の適切な心理検査を選択し用いるだろう。D.では心理検査をおこなうだけでなく、関係者から話を聴いたり本人の様子などを観察したりすることも必要かもしれない。E.では1セッション程度の比較的短期間で、本人や紹介者などから情報を収集したりリスク査定などが主眼になるかもしれない。そしてF.では数セッションを費やし本人と対話するとともに、丁寧に観察もおこなうなどして多角的な情報を得、総合的な検討を目指していくことになる。

このように、「アセスメント」から想像されるさまざまな仕事は、目的もおこなうべきタスクもさまざまだ。だから「アセスメント」を考えるときにまずなすべきことは、あなたが今おこなおうとしている、その「アセスメント」の目的を確実に把握すること。話はそれからである。

本書で取り扱う「アセスメント・コンサルテーション」はF.に記したものである。他のものに関しては本書では述べない。それぞれについては適切な専門書をあたること。

本書で取り扱うアセスメント・コンサルテーションは，まとめると以下の通り（Hobson, 2013）。

A．ご紹介等を契機に目の前に現れたある個人（成人）を対象に，
B．いまこのタイミングで心理療法をおこなうことが不利益に比して利益の方が大きいと見込まれるかどうか，つまりその人に役に立ちそうかどうか，
C．役に立ちそうならば，どのような心理療法をどこで誰がどのようにおこなうことがもっともよいと見込まれるのかを，
D．その個人とあなたの両者が率直にかつ丁寧に話し合うことによって，あなたが理解しようとし，
E．そのあなたの理解に基づいて，それに即したメリット・デメリットを含む治療選択肢を提案し，両者の合意に至ることを着地点とする丁寧な話し合いのプロセス。

　患者と心理療法家，それぞれにそれぞれの責任を負った者同士，二人の話し合いが基盤であるということを強調するため「アセスメント・コンサルテーション」と呼んでいる。これは従来の父権主義的医療モデルとは明らかに異なる。つまり，力ある医師に非力な患者が全権を預託し，座れば自ずと診断がおこなわれ，薬が処方され，患者はそれを受け取るという一方通行的な，ある種依存的な関係性とは異なる。アセスメント・コンサルテーションは両者による話し合い，コミュニケーションを基盤としており，共に協働して意思決定に至ろうとするものだ（Garelick, 2013）。
　そうはいっても心理療法家は専門家であり，二者間の力関係に不平等さが存在することは否めない。だから「アセスメント・コンサルテーション」と呼ぶのは単なる言葉の綾，まやかしだと言われればそれまでだ。けれども，二人の人間の間でおこなわれる双方向のやりとり，つまりコミュニケーションこそが心理療法の基盤であり，心理療法に先立つアセスメント・コンサルテーションにおいても同様に基盤である。ここで言うコミュニケーションには意識的なものだけでなく無意識的なものも，言語を介したものだけでなく非言語によるものも，たとえばちょっとした動き，うっかり口が滑った言い間違いや行動，夢，

意図せず漏れ出すさまざまな感情，転移・逆転移なども含まれている。これらを全体的に総合的に読み取ることは，われわれの専門性が発揮される部分だ (Joseph, 1985)。患者とわれわれの間のコミュニケーションが多少とも体験されるなら，アセスメント・コンサルテーションそのものが患者にとって新しくて重要な治療的体験になりうる（Reith et al., 2011, 2018)。

Ⅱ 「アセスメント・コンサルテーション＝心理検査」ではない

　本書で取り扱うアセスメント・コンサルテーションでは心理検査を用いない。
　後述する受付質問票は用いるが，情報収集が目的で，いわゆる心理検査ではない。たとえば研究目的など，別の理由でおこなう心理検査がアセスメント・コンサルテーションに便乗する場合があるが，これについて本書で述べるべきことは特にない。
　本書で述べるアセスメント・コンサルテーションと同様の目的で，心理検査を用いた「アセスメント」をおこなう臨床家もいることは，筆者も知っている。あえて言うまでもなかろうが，著者はそのやり方を否定していない。著者が本書で紹介するのは，著者が自らの手段として選び取り身につけた，ひとつの考え方，ひとつのアプローチ法である。旅に携帯する道具は自分自身とよく相談して選び取るものだ。あなたにはあなたの特徴と限界にフィットしたアプローチ法を選択し，なおかつさらに工夫を重ね続けていく自由と責任がある。
　ただし，アセスメント・コンサルテーションの目的はすでに述べた通りである。心理療法に持ち込めるのが心理療法家である自分の心身だけであることを思えば，アセスメント・コンサルテーションにおいても自らの心身に頼り，自らの心身によって患者とコミュニケートし，自らの心身をもって患者を理解することに尽力するのがもっとも理にかなっている。だから，筆者は「心理検査がないと患者を理解できないので，アセスメント・コンサルテーションで心理検査を使いたい」という意見に対しては疑義を唱える。
　それとともに，だからこそわれわれは，この自分自身の心身という唯一の道具を，的確に使いこなすことが必要不可欠である。料理人が日々台所を磨き上げ，道具の手入れを怠らず，自らの五感を鍛えているように，われわれは日々

我が心身の手入れを怠ってはなるまいと，自戒を込めて思う（料理人が日々どんな鍛錬をしているかは，たとえば木沢［1989］を参照。専門の違いを超えて胸に沁みいるものがある）。

Ⅲ 「でも，難しい」

　筆者のセミナー等に参加したり Hobson（2013）を読んだりした人が大概言うのは「でも，難しい」である。
　これにはいくつもの意味が含まれているだろう。
　第一に「これは理想論にすぎない」とか「頭ではわかるけれども自分には実践できない」とか。
　確かにアセスメント・コンサルテーションは簡単ではない。それはその通りだと思う。同時に複数の視点を持ち，リアルタイムで理解し，判断し続けなければならない複雑な仕事だ。実技の常ながら，文献をいくら読み，セミナーにいくら出席しても，実践できるかどうかはまた別の話で，究極的に言えば，スーパービジョンを受けながら繰り返し実践を積み重ねてゆくより他に習得の道はない。しかも，いくらスーパービジョンを受けたところで，せっせとメモをとることに終始し，自らの頭で考え心で感じない限り成長はないだろう。だからセミナー出席者が「でも，難しい」と言うことには一理ある。これに対しては，確かに難しいけれども共に地道に実践を積み重ねてゆきましょうとしか言いようがない。
　第二に「日本ではそんなことはできない」「日本にはそんな豊富な治療資源はないから無理だ」。
　確かに筆者がアセスメント・コンサルテーションについて学んだのは英国ロンドンにおいてだが，帰国後も実践を続けている。当然のことながら機械的に移植してそのままおこなっているのではない。帰国後の臨床活動を踏まえ，つまり筆者が毎日出会う患者たちとのやりとりや，スーパーバイジーやセミナー参加者たち，同僚たちとの対話を踏まえて，細部まで再考を重ね，より納得がいくものへと育てようとしているものだ。ロンドン時代の同僚の中には，それぞれの国へ帰って同様に臨床活動を続けている仲間もいる。臨床現場がどこで

あろうと，実践可能性は工夫次第である．

　第三に「でも，自分のところではできない．難しい」「やりたいけれども自分は医療現場で・学校教育現場で働いているからできない」という意見．

　曰く，アセスメント・コンサルテーションを実施することさえ無理で，「上司（たとえば主治医）に話を聞いてやってくれと言われたら，もう絶対にそうしなければならないものだ」「すでにできている習わしを変えられない」との意見も聞く．本当にそうだろうか？

　筆者も国内外大小さまざまの組織で働いたことがある．だから言いたいことはわからないでもない．組織にあっては必ずしも自分が思い描いた通りにいかない状況があるし，究極的には，自分のやりたいことをやりたいようにやるために，人は組織の長になることを目指すのだと思う．たとえ組織の長になってもなお，何もかも理想どおりにできるのかと問われれば，必ずしもそうではないと筆者も答えるだろう．

　しかし「でもできない，難しい」と言うとき，あなたはコミュニケーションに絶望し，コミュニケーションを諦めていないだろうか．

　コミュニケーションに絶望することは，すなわち心理療法に絶望することだ．心理療法を誰かに提供しようとする者が心理療法に絶望してどうするのか．

　たとえば，まず自分が置かれた状況をよく観察してみてはどうだろう．組織にどのようなメンバーがいるか．誰がどのように動いているか．誰が誰にどう影響を与えているか．どのような意識的・無意識的影響の，どのような及ぼしあいによって，現在あるような事態になっているか．それらの事態がどうならば組織としてより健康に，より組織の目的に向かって動けるか．その理解を誰にどう語りかけ話し合えば適切か（Garland, 2010）．

　このような観察・理解・話し合いという考え方は，本書で述べるアセスメント・コンサルテーションのプロセスに，とても似ていることに気づくだろうか．他でもない，いま述べているのは「組織（集団）に対するアセスメント・コンサルテーション」である．

　個人に対するアセスメント・コンサルテーションにそれ相応のコミュニケーションが求められ，労力と時間を要するのと同様に，組織（集団）に対する場合もそれ相応のコミュニケーション，労力，時間を要するものだ．

臨床活動の総体が，まあこれでまずまずだと思えるところにたどり着くには長い時間と膨大な労力がかかる。筆者もさまざまな紆余曲折を経て，いまいるところに流れ着いた。そして改善の余地はいまなお山のようにあり，これから先も試行錯誤を積み重ねてゆくことになる。ある大先輩は「心理療法家というのは『職業』というよりむしろ『生き方』だ」と言っていた。それは，労力と時間をかけ，コミュニケーションし，少しずつ工夫を重ね続けてゆく生き方だ。（たとえばColtart［1993］などにも同様の記述がみられる）。

　第四に「アセスメント・コンサルテーションは患者を不安にさせすぎるから，負担を与えすぎるからできない」という声がある。

　しかしたとえば患者が医師の前にやってきて「苦しいので何々の臓器を摘出手術してほしい」と訴えたとき，患者を不安にさせたり負担を負わせたくないからといって，専門家としての意見を述べたり，必要に応じて他の治療法を勧めたり，場合によっては断ったりしなくてもよいと考えるだろうか。"アセスメント"もせず本人の希望通り，ただ従順にその何々を摘出するだろうか。それは倫理的に正しいだろうか。たとえ患者を不安にさせても，負担になろうとも，まずしかるべき観察をおこない，アセスメントを経て，どのようにするのがもっとも適切か判断し，それに応じた治療法を選択しようとするのではないだろうか。「いや，でも心理療法の場合，外科手術と違って血が流れないから」という意見を聞いたことがある。とんでもないことだ。血は流れる。心から。目に見えていないだけ。

　「不安にさせたくない」と言うけれど，目的がどうであれ，見知らぬ場所で見知らぬ人に会い，極めて個人的な事柄を話さなければならない時点で，そもそも不安であり，負担なことである。どのみち不安と負担を感じてもらわなければならないなら，その果てに得られるものを可能な限り有意義なものにすべく努力するのが，倫理的であるし目的にかなっている。

　一時的な口当たりのよさに逃げ込みたいあまりに，アセスメント・コンサルテーションの目的を見失わないようにしたい。そしてどうすれば，自分がどうであれば，より適切にアセスメント・コンサルテーションの目的を遂行できるのか考えることに力を注ぎたいものだ。

　どうか「でも，自分にはできない。難しいですね」と斬り捨てて終わりにし

ないでもらえたらと思う。

Ⅳ 精神分析的心理療法とアセスメント・コンサルテーション

精神分析の考え方に基づく心理療法（精神分析的心理療法）はどんなものか。

1．原則的な姿

　精神分析的心理療法は，ジグムンド・フロイト（Sigmund Freud; 1856-1939）が提唱した精神分析理論に基づいておこなわれる心理療法である。患者と心理療法家が一対一で，決められた曜日・時間に決められた安全な場所で，1回50分などの時間制約がある有償契約のもと，週1－3回程度のあらかじめ約束した頻度で会う。患者がカウチに仰臥して心理療法家がその後頭部のあたり（患者の視界に入らない位置）に座るか，もしくはお互いに向かいあって座る体勢をとる。各セッションは基本的に言語を介し，自由連想法と呼ばれる対話をおこなう形で進められる。自由連想法は，患者がいま心に思い浮かぶことを，格好悪いとか，情けないとか，恥ずかしいとか，間違っているとか，本筋の話と関係ないとか，倫理的に許されないとかの理由で自分で取捨選択せず何でも口に出して語る方法を指す（Freud, 1912, 1913, 1916-1917; Kahn, 2002など）。

　精神分析的心理療法のセッションでは，患者が実際に言葉で語ること，つまり患者の心の意識領域にあることだけでなく，語らないこと・語れないこと，図らずも口にしたことやうっかり漏れ出たこと，つまり無意識領域にあることも併せて共に理解を深めてゆくことを意図している。フロイトは無意識領域にあるものを意識領域に移動させれば，つまり無意識を意識化すれば症状は軽快するととらえていた（Melicias, 2015など）。精神分析理論はいまなお発展を続ける生きた理論であって，フロイトが提唱したよりもっと幅広い年齢層，幅広い状態の患者たちの役に立つことができるものである。現代，精神分析的心理療法は，患者と心理療法家の間で絶えずやりとりされ変容し続ける鮮烈な情緒交流（転移・逆転移）に特に注目し，患者の態度や情緒の質や強弱の変化をつぶさに観察し，リアルタイムで理解してゆこうとする試みであると理解される

(Joseph, 1985)。いままさに二人の間で形作られ展開してゆく関係性（対象関係）を理解することが，患者がどのような世界観のもと，どのような空想を抱き，どのような問題を抱え，どのように困難に直面し，人々の中にあってどのように生きているかを理解することにつながる。この理解が，通り一遍の知的な表層を踏み越え，確かな情緒的実感を伴う生々しい理解となり，患者の心と心理療法家の心の真の接触として体験されたとき，患者の心の世界に初めて静かな地殻変動が起こる。

　情緒的実感を伴った心と心の真の接触は，言うは易くおこなうに難い。真の接触にたどり着く前に，患者だけでなく心理療法家も，互いに噛み合わない虚しさ，痛切な哀しみ，不当に取り扱われる激しい怒り等々を味わい続ける羽目になる。お互いに厳しい道のりだ。それでも心理療法家は，絶えず己の心に湧き上がる不安や恐怖，さまざまな空想に飲み込まれかけては立ち直り，生き延びる姿を患者に示し続けてゆくだろう。それは何度倒れてもまた立ち上がり続ける「ほどよい母親（good enough mother）」の姿だ（Winnicott, 1953）。幾度も訪れる修羅場を共にくぐり抜けるその道のりで，あるいはその先に，願わくば二人の人間の真の接触がある。その生きた接触の体験こそが精神分析的心理療法が目指す境地であり，その道のりで副次的に，人間関係における問題が軽減したり，諸々の症状が軽減したりする。しかしそれらはあくまでも副次的な利益であり，患者にとっての利益の主眼は真実の自分の姿について理解を深めること，それを人と分かちあう体験をすることだ。"Beauty is truth, truth beauty— that is all ／Ye know on earth, and ye need to know"（Keats, 1819）。

2．原則的なもの以外およびその他

　さて，いま述べたのは精神分析的心理療法の原則的な姿である。しかし，原則的なものだけが精神分析的心理療法ではない。たとえば筆者がおこなう精神分析的心理療法には，上述の形以外にさまざまなバリエーションがある。その例はあとで述べる（本書 p.150 参照）。

　加えて，原則的なものだけが意味ある臨床活動ではない。原則のための原則に何の意味が，そして精神分析のための精神分析に何の喜びがあるだろうか。

そして原則的なものをおこなう場合にだけ,アセスメント・コンサルテーションが必要なのでもない。むしろその逆だ。

精神分析的心理療法以外の心理療法をおこなう場合も,それに先立って,まずは精神分析的な考え方に基づくアセスメント・コンサルテーションをおこない,患者の全体,患者の真実を理解しようとすることが大いに役に立つ。その時点におけるその患者を理解し,その理解に基づいて適切な治療の総体を提案するには,患者の意識的側面だけでなく無意識的側面をも含めて,全体的で個人的なストーリーを理解する必要がある。その目的は精神分析的なアプローチ以外の何をもって達成できるというのだろう（Garelick, 2013）。

必ずしも原則的な精神分析的心理療法をおこなうわけではない現場として思い浮かぶのは,たとえば大学の学生相談室や医療現場である。これらの現場にも精神分析的心理療法に特に力を入れているところはあるし,個人的努力や工夫を重ねている人々もいる。そうはいっても,これらの現場に身を置く人々の多くが筆者のセミナー等にやってきて,アセスメント・コンサルテーションをおこなう困難を語っているという現実がある。

しかし実はこれらの現場こそ,アセスメント・コンサルテーションを活用できる場所だ。つまり,さまざまな相談を持って現れる人々を,アセスメント・コンサルテーションによって,精神分析的心理療法を含むさまざまな治療選択肢群の中からもっとも適切なものへとご紹介し振り分ける,その分岐点。それは極めて大事な,有意義な役割である。

1）学生相談室

大学の学生相談室には実にさまざまな種類の"相談"が寄せられる。たとえばこのようなもの。

- 学友とうまくいかない／友人ができない／孤独でどうしようもない。
- グループ・プレゼンテーションやゼミ活動が苦痛すぎる／取り組めない。
- 夜どうしても寝付けない／朝起きられない。
- 必要な単位を落とし留年／退学しそうだ。
- 自分は発達障害／ADHD／パーソナリティ障害／等々ではないか。

- 犯罪／事故に巻き込まれた（トラウマ）。
- 帰宅すると家族に殴られたり罵られたりする（DV, 虐待など）。
- 家族が何らかの問題を抱えている。
- 高校のときスクールカウンセラーの世話になっていたので引き続き　などなど。

　近頃は心理学などを専攻する学生が教員に「"教育分析"を勧められて」というものも散見される。
　さて，それぞれの"相談"をどう理解したものだろう。はたして額面通り，字義通りの理解でよいだろうか。それぞれの意識的な訴えは，無意識的には何を意味していると理解できるだろうか。この時点におけるこの学生には一体どんな対処法がもっとも適切そうだろうか。
　状況により，学内の他部署（たとえば健康管理センター，特別支援センター，心理臨床センター，ゼミの指導教官など）や学外の他機関（たとえば近医，若者サポートセンター，就業支援センター，社会福祉サービスなど）と連携したり，紹介して引き継いだりするのがよい場合もあるし，家族と連絡を取る必要もあるかもしれない。おおむね 18 − 20 代半ばの若者たちに会うにあたり，目を配りたいリスク要因はいくつもある。事態の緊急度やリスクの程度次第で，学生相談室内のチームで状況を共有し議論しておくことも求められるだろう。
　学生相談の大きな特徴のひとつは，提供できる支援に時間の限りがあることだ。すなわち，学生が卒業すれば学内相談室での支援は終わらざるを得ず，そこから先はまた改めて治療選択肢を検討しなければならない。したがって，同じような問題を抱えた学生でも，卒業までどれほど時間が残されているか次第で対処法も変わる可能性がある。
　これらをアセスメント・コンサルテーションにおいて検討し，適切に判断することは極めて重要な仕事である。心理療法家に学生相談の現場でできることはないと決めつけないこと。

2）医療現場
　医療現場にいる人から非常によく聞くのは，医師（上司）の指示はとにかく

機械的に問答無用で引き受け遂行するよりほか道はない，という意見だ。心理検査をと言われれば心理検査。話を聴いてと言われれば話を聴く。たとえば「不安にさせない支持的なカウンセリングを隔週で」と非常に具体的な指示があったりもする。それをただ自動的に実行することに終始して本当によいのだろうか。丁寧にアセスメント・コンサルテーションをおこない，患者について自分なりの理解を得，思考することが必要ではないのか。

その結果，確かに「支持的なカウンセリングを隔週で」が最適な場合もあるだろう。しかし実は別のやり方がより患者の役に立つこともあるだろう。それを見逃さず，よく考え，必要なときには必要な議論をしたい。医師と心理療法家は本来同じ目的をもって任務にあたる同志だ。つまり，患者の健康と福祉のために。

最近は医療現場の中でも，精神科や心療内科以外の分野で活躍する心理療法家も増えている。たとえば緩和ケア。患者が抱える病の特性のため，先に挙げた原則的な精神分析的心理療法をそのままの形でおこなうのは圧倒的に難しい。病室から移動できず，あるいはベッドから起き上がれず，心理療法家がベッドサイドに赴いて対話する。病室が個室であればまだしも，大部屋の場合もある。いかに約束しようとも，身体症状のために，1セッション50分，フルで対話することが困難なときも多い。呼吸が苦しかったり，疼痛が厳しかったり，5分10分話をするのさえやっとな日もあるだろう。そして二人の間には生と死，死にゆこうとする人と，とりあえず当面はまだ生き続ける人の間の厳然たる境界が明確に存在し，二人を熾烈に分断する。こうした状況で，患者と心理療法家は互いにどう向かいあえばいいだろうか。

　私は週1回，緩和ケア・チームの心理担当として，ある女性患者をベッドサイドに訪れていた。当然，疼痛コントロールを主とした医学的介入が優先で，訪問時間を定めることはできなかった。しかし年齢が近く，同性でもあり，少なくとも私は患者に親しみを感じて，入院生活のこと，夫のこと，さまざまな思い出などを語りあう時間を心待ちにしていた。

　その日も私は彼女のベッドサイドに腰かけていたが，突然彼女はベッドの手すりをガチャンと下げて言った。「こうやって柵を下ろしたら，私たちの距離

は縮まるのかな。私がいる死の世界と、先生がいる生の世界のあいだの距離。ねえ先生、死後の世界ってどんなかな」。現実に殴られた私は一瞬絶句し、それでも必死に彼女と共に、死後の世界の光景を見回そうとした。

彼女の病態は日に日に悪化した。カルテを介して「今日は心理の先生に会いたくない」という伝言を受け取る日が増えた。私はそれを疼痛のせいだと思おうとした。しかしある日、彼女はチームの精神科医に言った。「心理の先生と話をしたら弱い自分が出てきてしまう。だから会いたくない」。本当にそうだろうと痛烈に思ったし、彼女に会うのを心待ちにしていた己の呑気さを呪った。しかしこの後に及んでなお、私は彼女に一方的に振られたようで傷つき、恨めしくも思った。チーム・ミーティングで共有される情報やカルテの記載内容から、彼女の様子を探ろうとし続けた。そんな日々を苦しいと思ったが、しょせん"生の世界"に在る者のお気楽な苦しみにすぎないようにも思えた。

やがて彼女はクリティカルな容態に達した。私はチームの精神科医と連れ立って病室を訪れた。彼女はもう言葉を発することさえできないでいた。病室の扉口に立つ私の方に顔を向け、彼女はかすかに笑ったかのように見えた。病状にもとづいて客観的に考えるなら、それさえ私の空想、幻かもしれなかった。

その数日後、彼女は亡くなった。もっと正確に言うならこうだ。ある朝、出勤した私は、その時点までに亡くなった患者情報を保管するファイルの中に、彼女を見つけたのである。

このように、原則一本槍ではどうしようもない応用編の現場は数多く存在する。このようなそれぞれの場面で、心理療法家はどのように判断し、どのように動けばよいだろう。どのように動くことができるだろう。応用編の現場で奮闘する人々にこそ、意識的主訴だけでなく無意識的な側面にも目を向けるアセスメント・コンサルテーションの考え方を手に入れてもらえたら、と願う。心理療法家は、原則的な形でなくとも重要な臨床活動をおこない、意義深い体験を患者と共に持つことができる（Aisenstein & Smadja, 2010）。

異なった専門分野を持つ複数の心理療法家やさまざまな治療者が、適切に協働し、患者にとって最適な治療計画を組み立て、提供すること、それによって患者がより幸せに生きていけるようになることこそが、われわれ心理療法家の

喜びである。

V　限界ある資源とその分配（レーショニング）

　かつて「アセスメント」は特定の患者あるいは特定の疾患に対し，特定の心理療法（たとえば精神分析的心理療法）が適用可能か否かを判断する思考過程を意味した（Garelick, 1994, 2013）。いまなおそのような考え方も存在する。しかし，数々の研究も積み重ねられている（Berkowitz, 2013; Hobson, et al., 2013）。現在，アセスメント・コンサルテーションの目的は，いまこの時点におけるこの患者にとって，何らかの心理療法をおこなうことが役に立ちそうか，つまり不利益に比して利益が大きくなりそうか，役に立ちそうとするならどこで，誰が，どんな心理療法を，どのようにおこなうことがもっとも適切そうかを検討し，患者本人と心理療法家が協働して意志決定を目指そうとすることに力点が置かれている。

　この目的を達成し得る可能性は，患者の心の意識領域から発せられる主訴だけでなく，無意識領域からのものまで含め，総合的に，しかも個別に患者を理解しようとすることによって生まれる。したがって，このようなアセスメント・コンサルテーションは，無意識の存在を前提とする精神分析的な考え方が基盤である。

　たとえば患者の「背中が痛い，もう何年も痛い」という意識的主訴の背後にある無意識的ストーリーは何か。患者の心が実は体験しているものは何か。現実の身体的痛みに併せて，そのほかに，もしかするとたとえば「自分は背筋を伸ばしまっすぐ立てない」「周囲の期待をもう背負えない」という絶望を象徴的に現しているかもしれない（Bronstein, 2011; Aisenstein, 2018）。

　このような目的でアセスメント・コンサルテーションをおこなうときに考えるのは，特定の疾患云々よりむしろ「この状況におけるこの患者とこの自分」という組み合わせがはたして最適か，それとも他の組み合わせの方が最適になりうるのかである。

1．判断に際し絡みあう要素

　もしも，これこれの条件ならこれこれの患者をこのように引き受けることが可能である，というような明瞭で一律の基準があったなら，どれほど簡単でよいだろう。実際には，たとえば以下のようなさまざまな要素が判断に影響を及ぼす（Bell & Kleeberg, 2013）。

- どのような患者で，その患者がいまどのような状況にあるか（個人的に，社会的に）。
- どのような心理療法家で，その心理療法家がいまどのような状況にあるか（専門家として，個人として）。
- どのような現場・組織・チームの中でおこなわれる心理療法で，それらがいまどのような状況にあるか（組織として，社会的文脈の中で）。
- 心理療法家を支えるどのような体制があるか（たとえばスーパービジョンや心理療法，信頼できる仲間の有無など）。

　これらが「最適」に関する判断に影響する。したがって，こうならこう，こうならこうというような明瞭な対応表（判断基準）はない。状況ごとに個別に判断することになる。

2．精神分析的心理療法の限界

　無意識の存在を前提とする精神分析的な考え方がアセスメント・コンサルテーションの基盤であると述べた。しかし，その先に提供するものは必ずしも精神分析的心理療法一択ではない。

　この世に存在するどんな薬も，いつでも誰にでもどんな障害・症状・困難にでも効くわけではないように，どんな心理療法も，いつでも誰にでもどんな障害・症状・困難にでも役に立つわけではない。

　だから，いま，この患者のこの状況に最適となりうるものは何か，個別に考えなければならない。

ある患者は「カウンセリングを受けてすっきりしたい」と希望していた。アセスメント・コンサルテーションではよく喋り，「話せて"ほっこり"した」と言ってニコニコして帰っていく。
　しかし，心理療法家はどんなに言葉を尽くしても患者と一緒に"話をした"という実感がまるで持てず，むしろ苛立ちや憤りといった不快感と共に取り残される体験に悩まされ続けていた。
　やがて，幼い頃から自分の心にぎゅうぎゅうに堆積してきた情緒的ゴミを，ゴミ箱的誰かの中にぶちまけ（この役割を果たしてもらえるなら誰でもいい），すべて移動させてすっきりするのが患者の望みであるということが明らかになっていった。セッションのあと心理療法家の中に残されるのは，患者の積年の情緒的ゴミだったのだ。患者は心理療法家が語りかけること，ましてや心理療法家と対話することには関心がなかった。患者にとって心理療法家はただの"ゴミ箱"にすぎなかったから。ゴミ箱と話したい人などどこにいるだろう？

　もしこの患者と精神分析的心理療法を始めたとして，それがどう展開するかには幾通りものバリエーションがある。だからこの情報だけで短絡的に精神分析的心理療法が役に立たないという判断には至らない。上記の地点から始めて，二人の心が互いに本当に接触することができる地点まで移動する例を筆者はいくらでも体験した。その移動が可能か否かには，患者と心理療法家双方のさまざまな要因が複雑に絡み合っている。
　しかしその"幾通りものバリエーション"の中には，患者が断固として他者と，心理療法家とも，共に対話することを望まず，したがって心理療法家がどう尽力しても，その状態に疑いも揺るぎも迷いも生じないというものも含まれている。もしそのような道筋をたどるなら，患者の首に縄をつけ，引きずり倒すようにして対話させることは誰もできないし，そうする権利もない。そのような状況に対して精神分析的心理療法ができることは，もしかするとほとんどないかもしれない。それは精神分析的心理療法の限界かもしれないし，その特定の精神分析的心理療法家の限界でもあるかもしれない。
　心の深淵を覗き込むことをそもそも希望していない人や，意識的には希望していても無意識的には深く恐れている人，希望していても諸々の準備が整って

いない人もいる。それは無理からぬことで，そのようである権利と自由はみなにある。そのような人々は精神分析的心理療法家が抱え込むより，別の方法論を持っている同僚ないし組織に紹介する方が適切かもしれないし，場合によるといまは何もせず（いかなる心理療法も始めず），時が流れるまま保留することが適切かもしれない。

われわれは誰も魔法の杖を持っていない。人には限界があるし，いかなる方法論にも限界がある。であるからこそ，アセスメント・コンサルテーションが必要なのだ。いつでも誰にでも等しく「良いもの」として作用できるものは，この世に存在しない。残念ながら。あるいは，幸運なことに。

３．心理療法家の限界

いち人間としての心理療法家にも限界がある。ひとりひとりが有する資源には限りがある。

"資源"には，たとえば時間，財力，能力，体力などが挙げられる。

まず時間について。

1週間は24時間×7日間しかない。その中で心理療法をおこなうことに配分できる時間には上限がある。どのくらい配分できるかは，おのおのの個人的・家族的状況，勤務先の状況，体力，体調，能力，その他の要因に自ずと左右される。

たとえば中学校や高校などに勤務するスクール・カウンセラーは，勤務時間の中で心理療法に費やせる時間数は相当少ないだろう。病院勤務も同じように，諸々の心理検査をしたりカンファランスに出席したりする時間が，ずいぶん多くなる。先に述べた"応用編"の現場で働く人々も同様だ。

筆者のように個人でやっている場合，毎日朝から晩まで好きなだけ心理療法に割り当て可能に見えるかもしれないが，それとて無限ではない。現実にはスーパービジョンやセミナーや講義をおこなったり，その準備をしたり（かなり時間がかかる），原稿を書いたり，書物を読んで勉強したりする時間も必要だ。当然，人間として生活を維持するための時間も必要だ。炊事，食事，洗濯，買い出し，掃除，子育て，介護，その他家族との時間，人づきあい。リフレッシュし，適切に機能し続ける心身の状態を回復し，維持するための時間。休憩，睡

眠，娯楽。長きにわたって心身共に健康に継続可能なタイムテーブルを目指すなら，24時間×7日ぎちぎちに働くことは到底できない。1日に会える患者の人数には限りがあるし，その人数も，歳を重ね体力が衰えるに伴い徐々に減ってゆくのが自然の理だろう。

　財力と書いたのは，経済的基盤のことだ。

　確かに人生はお金がすべてではない。人はパンのみにて生くるにあらず，だ。しかし，ある程度以上の経済的不安定さは確実に心に影を落とす。雇用が際立って不安定な状況，たとえば日々異なる勤務先を渡り歩き，それらが短期有限契約で，いつ契約が打ち切られるかわからない。ひいてはいつ収入が顕著に減少したり，まったく失われてしまったりするかわからない。近い将来にさえ自分の生活を維持できるか，先の展望が見えないというような，自分の足下が覚束ない状態で，はたして心理療法家は，患者を安心して安定的に抱えていくことができるものだろうか。心理療法家としての自分どころか，尊厳ある人間としての自分を維持していくことすらままならないのではないか。

　能力の限界も厳しい現実である。

　人は老年期まで発達し続けるというが（Erikson, 1968），残念ながらいつまでも青年期以前と同じ勢いで質的・量的成長を続けられるわけではない。人は衰える。生き物の宿命だ。人が永遠にすくすくと成長し，望むままに前進し続けることができるというのは美しすぎる幻にすぎないと，哀しいけれども認めざるを得まい。

　加えて，必ずしも己が望んだ通りのものになることができないのもまた真理であろう。望んだからといって誰もがノーベル賞を受賞できるわけではないし，同じ指導者のもと同じトレーニングに打ち込んだすべての者がみな，同等の活躍をできるわけではない。人には個人差があり，それぞれ能力の限界がある。

　体力も同様である。

　体力は衰えるし，病に罹患するなど不測の事態も起こり得る。人は永遠に生きることはできないし，人生最後の瞬間までずっと臨床活動を継続していけるとも限らない。ジョセフ（1917-2013）やシーガル（1918-2011）のように，量は絞りつつでも最晩年まで臨床活動を継続し続けたいと心底願っても，アブラハム（1877-1925）のように突如として病に倒れ，不可抗力的に帰らぬ人とな

るやもしれぬ。

　豪速球を受け止めるキャッチャーにはその豪速球に相応しい力が必要だし，急斜面を滑降するスキーヤーは斜度に相応しい前傾姿勢が必要だ。患者から強く激しい情緒を差し向けられた心理療法家は，相応の力によってそれをまっすぐ受け止めなければならない。とても強烈で激しい力が来るが，踏みとどまらなければならない。さもなければ，あえなく後ろに倒れてしまう。体力が失われ，その力を失ったなら，それが心理療法家としての落日なのだろう。

　換言すると，その時点において，あなたという個人が担当できる患者とできない患者がいるということ。そしてそれは時の流れとともに自ずと変化してゆくということだ。

4．資源配分（レーショニング）

　極地探検（Scott, 1913; Fiennes, 2008）からビジネス経営，そして臨床活動に至るまで（Milton, 1997），成功の鍵を握るのはいつも適切な資源配分（レーショニング）にまつわる状況判断と意思決定である。

　もし仮に限界がない世界が存在するなら，その世界においては，いつでもどんな患者にもどれだけでも心理療法を提供することが可能なのかもしれない。しかし残念ながら現世にそのような世界は存在しない。限りある資源を持つ心理療法家が，心理療法という万能ではない方法論を以って患者に向かいあうとき，自ずと適切な資源配分（レーショニング）について考えざるを得なくなる。すなわち，誰が，誰に，いつ，どこで，どのような資源を，どのように配分するのが最適か。つまり，損害（副作用）と比して利益（効果）が十分大きくなりうると予測できるか。

　極論するならアセスメント・コンサルテーションは，諸要素の限界を見極めて，両者合意のもと最適な資源配分を協議する過程のことであるともいえる。

第2章
アセスメント・コンサルテーションの全体の流れ

　本章では，アセスメント・コンサルテーションの全体の流れ（概要）について述べる（図1）。全体は，①準備段階，②ご紹介（状）の到着，③アセスメント・コンサルテーションの本体（狭義のアセスメント・コンサルテーション），④後処理，に分けられる。各段階の概要は以下の通り。

I　Step 1：準備段階

　準備段階には，実際にご紹介（状）を受け取る以前にあらかじめおこなっておく，いくつかの重要な事柄が含まれる。
　第一に，自分の手持ちの札を棚卸しして確認すること。自分が利用し得る心理療法およびそれ以外の手段には，どのようなものがあるか。それぞれの利点と限界・副作用にはどのようなものがあるか。
　同様に，自分が所属する組織・現場の手持ちの札を棚卸しして確認すること。自分は無理でも，同僚がおこなえる心理療法ないしはそれ以外の手段にはどのようなものがあるか。必要に応じその同僚と相談したり，患者を紹介することは可能か。
　これらについてあらかじめ考えておくと，どのような患者に関する紹介を引き受けることができ，どのようなものはできないか，より明確になる。
　第二に，どのようにしてアセスメント・コンサルテーションをおこない得るか，具体的に想定し，シミュレーションすること。たとえば本書に紹介したひとつひとつの事柄は，そのままコピー＆ペーストでもするように，あなたおよ

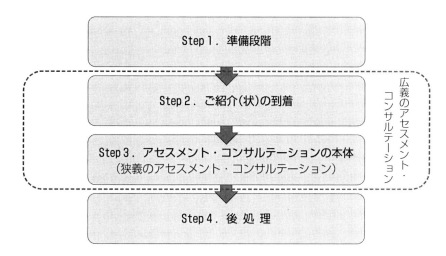

図1　アセスメント・コンサルテーション全体の流れ

びあなたの現場に単純移植して実行できるわけではない。あらかじめよく検討し，状況に応じて工夫したり，同僚やさまざまな部署と議論することが欠かせないだろう。

　第三に，具体的な用意。たとえばセッションルームや，様式など細々したものを作り整えること。紹介の引き受け方や予約方法などを想像し準備すること。用意しておきたい事柄は大きなものから小さなものまで，有形無形数限りなく存在する。

　準備段階に丁寧に取り組むことで，次段階以降をより適切に進めることができる。

II　Step 2：ご紹介（状）の到着
　　　——広義のアセスメント・コンサルテーションの始まり

　ご紹介（状）が到着する。その瞬間からあなたの意志決定の道のりが始まる。
　第一に，そのご紹介（状）を引き受けるか，お断りしてお返しするか。その判断をするために必要十分な情報は手元に揃っているか。揃っていない場合，どうすればよいか。

第二に，引き受けることにしたなら，患者とどう接触し，どのように次の段階に進むか。

この段階におこなうべき仕事は非常に多い。また，この段階で得られる情報もとても多い。広義のアセスメント・コンサルテーションはこの段階からすでに始まっている。

III　Step 3：アセスメント・コンサルテーションの本体
　　　——狭義のアセスメント・コンサルテーション

この段階でようやく患者本人に会う。アセスメント・コンサルテーションの目的を達成するために，観察し，理解しようとし，コミュニケーションをおこない，さらに観察する。その繰り返し。

患者はどのようにあなたの目の前にやってくるだろう。あなたはどのように患者を迎えるだろう。そしてどのように，第 1 セッションの幕が上がり，そして下りるだろう。そして次のセッションは。

患者が語る一言一句を，語られない一言一句を，思わず漏れる一挙手一投足を，二人の間を満たしやりとりされる情緒を，それらが時々刻々移ろい変わるさまを緻密に観察する。観察し集めた情報をもとに，あなたは患者，患者が抱える問題，その来歴，そこから生じる苦しみ，患者の世界について理解しようとする。あなたはある段階でそれなりに確からしい仮説にたどり着く。しかしそれはあくまでも"仮説"にすぎない。その確からしさを見定めるために，あなたの仮説を，患者が理解できる言葉で，患者本人に対して述べる。どのようなリアクションが返ってき，返ってこないだろうか。その結果，あなたの仮説の確からしさが増すかもしれないし，減るかもしれない。その観察結果を，あなたはまた述べる。

このような双方向コミュニケーションを複数セッション積み重ねたのち，十分情報を得て，十分確からしい結論にたどり着いたと思えるときが訪れる。そのときあなたは，あなたのその結論を，患者に理解できる言葉で，患者に向かって語りかける。そして，複数の治療選択肢を提示する。それぞれのメリットとデメリット。どれがもっとも適切であると考えるか。患者はどれを選択するだ

ろうか。二人は同意しあえるだろうか。それとも？

　このプロセスを経て，最終的に何も行わないことになるかもしれない。それはそれでひとつの帰着点である。この帰着点が意味することは「今，このタイミングでは何も行わない」ということであり，「未来永劫何も行わない」ということではない。将来に患者の考えや状況が変わったらまたそのときに，アセスメント・コンサルテーションに戻ってくることができる（レビュー・コンサルテーション）。その場合，Step 2「ご紹介（状）の到着」に戻る。

　Step 2, 3を合わせて広義のアセスメント・コンサルテーションと見たときの詳細の流れを次頁の図2に示した。Step 2, 3はこのように回り続けている。

Ⅳ　Step 4：後処理

　アセスメント・コンサルテーションの本体が終わってもまだやるべきことは残っている。つまり，あなたの理解を今いちど整理し，さまざまな書類の形によって必要な各所にメッセージを発することだ。これらは大別して，①ご紹介者に対するもの，②患者に対するもの，③同僚あるいは将来の自分に対するもの，の三種類がある。それぞれについて，筆者が用いる様式等を参考として示しながら後述する。

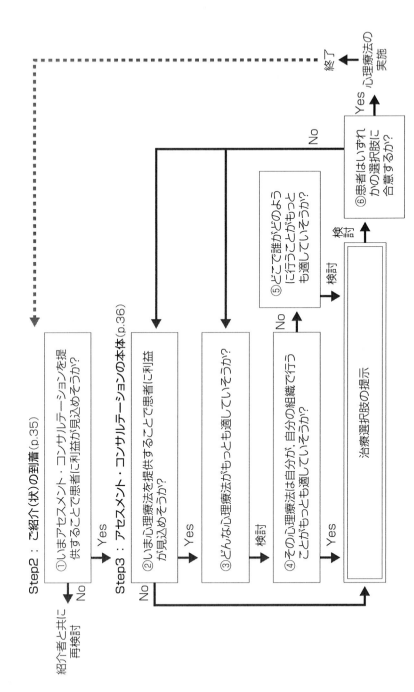

図2 広義のアセスメント・コンサルテーションに注目した流れ

第Ⅱ部

アセスメント・コンサルテーションの進め方

第3章
Step 1：準備段階

　アセスメント・コンサルテーション全体の流れを踏まえ，本章から各段階について詳しく述べる。図1，図2も参照しながら読みすすめてもらいたい。
　まず準備段階について。準備段階は，以下の4つの要素が含まれる。

- 自分自身のアセスメント
- 自分の組織・現場のアセスメント
- 段取りのシミュレーション
- 具体的な用意

それぞれについて述べる。

I　自分自身のアセスメント

　アセスメント・コンサルテーションにおけるもっとも基本的な道具は自分自身である。したがって，自分自身がどのような道具であるかをあらかじめアセスメントし，正直に把握しておくことで，いざ患者とのアセスメント・コンサルテーションに臨したとき，何をどのように提案でき何をできないかをより明らかにできる。

1．手持ちの札

　自分が治療選択肢として提示できる手持ちの札には，どのようなものがある

だろうか。たとえば筆者なら以下のようなものがある（本書 p.150 も参照）。

　A．大人の患者を対象にした精神分析的心理療法で，自分自身が担当する，
　　A‐a．個人を対象としたもの
　　　A‐a‐①．精神分析的心理療法：週3回，週2回，週1回；カウチ使用もしくは対面
　　　A‐a‐②．精神分析的コンサルテーション：週1回未満（たとえば隔週など）；対面
　　A‐b．カップル（夫婦などの2人組）を対象にしたもの：精神分析的カップル療法（週1回）；対面
　　A‐c．集団を対象としたもの：精神分析的グループ療法（週1回）
　B．同僚や他機関へご紹介
　C．今この段階では何もしない

　各自これまでの経緯，職歴，研修歴や状況等々に応じて複数の手持ちの札を持っているだろう。
　「自分には手持ちの札なんか1枚しかない。だから選択肢なんか提示できない」という絶望の声を耳にすることがある。はたして本当にそうだろうか。
　たとえば，もっともベーシックなものとして「精神分析的個人心理療法（週1回，対面，大人に対する）」を持つ心理療法家を想定してみよう。
　仮にスクールカウンセラーとして勤務する人なら，このベーシックな札に併せて，次のような選択肢も持っているはずだ。

　　●担任，教職員，その他の関係者と共に意見交換する。
　　●関係他機関の担当者と検討会議を持つ。
　　●本人の親にも会い情報を集め話し合う，など。

あるいは，医療現場に勤務する人なら，このようなものも入ってくる。

　　●入院中の患者なら病室やデイルームを訪れ言葉を交わす。

- 医師・看護師・心理担当者・ソーシャルワーカー・薬剤師・デイケアスタッフ・作業療法士・栄養士など，さまざまな同僚と意見交換する。
- 関係他機関の担当者と検討会議を持つ，など。

　意見交換といっても「会議を開く」などオフィシャルなものから「職員室／ナースステーション／医局／廊下で立ち話する」などカジュアルなものまで，さまざまなバリエーションがある。いつ誰にどのように話を持ちかけ，どのようにどれくらい発展させ深化させるか，工夫次第で間接的に患者の役に立っていくことができるだろう[*2]。

　先に挙げた"応用的現場"で働く人々も同様に，さまざまな選択肢が眼前に広がっているだろう。そのひとつひとつに，無意識の存在を前提とした精神分析的な考え方に基づくアセスメント・コンサルテーションを活用していける。

　そう考えてみれば，固定的なセッション・ルームの中で，決められた曜日・時間に，一定の有償契約のもと，患者と心理療法家が一対一でおこなう原則的な方法が，やるべきこと，できることのすべてではないとわかるはずだ（Lucas, 2013; Evans, 2013, 2016）。

　加えて「同僚や他機関へご紹介」および「今この段階では何もしない」は，どの現場においても，どの患者に対しても存在する。より適切と推測される治療法を提供できるのが，自分ではない誰か，ここではないどこかなら，ご紹介することを提案するのが倫理的義務であろう。また，意識的主訴にもかかわらず，実は患者が心理療法を求めていないこと，あるいは患者が心理療法を始める準備がまだ整っていないことが明らかになったなら，その患者は今はまだ何もせず，将来状況が変わって準備が整うまで保留にする。

2．技術的な状況：学びながらの実践

　心理療法家としてキャリアの初期段階にいるとき，手持ちの札が限られているのは当然のことだ。単純に言えば，ごく初期段階においては，以下の3パターンしか持っていないかもしれない。

[*2] 誰にでも何でもとにかく話せばよいというものでもない。工夫のしどころである。

A．もっともベーシックな札。たとえば「精神分析的個人心理療法（週1回，対面，大人）」。
B．同僚や他機関へご紹介。
C．今この段階では何もしない。

　この状態であることに焦りを感じるかもしれないし，A．の札さえ覚束ないかもしれない。はやる気持ちはあろうが，どうか焦らないでほしい。
　もしあなたの準備が整っているなら，たとえばセッションごとに丁寧なスーパービジョンを受けつつ学びながら実践するのもよい選択だ。組織内外のスーパーバイザーの意見に耳を傾けたり，ディスカッション・グループでメンバーと意見交換したりしながら臨床活動をおこなうことは，キャリアがどの時点であろうとも，心理臨床家にとって実質的・心理的に支えになるものである（Crick, 1991; Evans, 2008）。
　ただし，スーパービジョンを受けつつ学びながらの実践に適していない患者・手に負えない状態が存在する。この方法によって引き受ける場合は特に，アセスメント・コンサルテーションを通し，患者と心理療法家の組み合わせについて熟慮を要する。

　　ある患者は，誰とも安定した関係を結べないことに憤慨し，孤独で，憔悴していた。些細なきっかけで誰彼となく大喧嘩しては問題を引き起こして，職場にいられなくなったり，友情が壊れてしまったりを頻繁に繰り返した。患者は自力ではこれをどうにもできないと感じていた。
　　当然アセスメント・コンサルテーションは容易であるはずがなく，わずか数セッションという短い間にも，私と情緒的に衝突する瞬間が何度もあった。そのたびに私の理解を伝えるうち，徐々に，爆発し衝突するという短絡的リアクションの反復ばかりでなく，患者自身の心の世界を共に見回し，しんみりと語り合えるようになった。たとえば幼き頃，情緒不安定だった母が些細なことで爆発しては患者を折檻したこと。しょせん自分は母に愛されない邪魔者だと絶望するようになっていったこと。それでも心のどこかで母が好きだったこと。いつしか自分があの頃の母のような振る舞い，つまり爆発し衝突，を繰り返す

ようになったこと。その結果，あの頃同様とても孤独であること。皮肉なことに，そうであることによって，心の中では母と共にあるような気がしていること。患者は涙を浮かべ，私も悲痛さに胸を打たれた。

このような話を続けた結果，安定した人間関係を体験することが患者の役に立つだろうという理解に至り，週1回対面式の精神分析的心理療法を勧め，患者もぜひ試してみたいと言い，これをおこなうことになった。

さて，この現場は原則としてアセスメント・コンサルテーションと心理療法を，異なる心理療法家が担当する仕組みで運営されており，私もこの患者を同僚の誰かに託すことにした。すでに患者は私に愛着と信頼を覚えていたので，もちろん別れは痛みを伴った。しかしそれと同時に，私への信頼を基盤に，心理療法担当者との出会いを楽しみにもしていた。

患者が育ってきた経緯と，アセスメント・コンサルテーション中の私の体験から，心理療法においても患者は爆発し担当者と衝突するだろう，その際発揮される破壊力はかなり激しいだろうと予測できたので，引き継ぎにあたり私は「心理療法は相応の経験者が担当すること」と指定した。しかしいくつかの偶然が重なり，実際にはどういうわけか極めて経験が浅い心理療法家が担当することになってしまったのである。気づいたときはすでに後の祭り。予想通り，心理療法は，患者にとっても担当者にとっても悪夢と化した。

明らかに年若い担当者に患者はとても威圧的になり，萎縮した担当者は無意識的にしばしば時計を見やった。それに気づいた患者は「担当者が自分を軽んじ，拒絶し，さっさと立ち去れと態度で示している」と激昂した。

このような衝突を繰り返し続けて数カ月後，二人はどうしようもなく決裂し，心理療法は破綻した。患者は組織に苦情を申し立て，その結果，私ともう一度アセスメント・コンサルテーションを受け直すことになった。患者と私は今回の心理療法の挫折と絶望について複数セッションにわたって話し合った。患者は，この体験を私の失敗，私の罪（患者についてよくわかっていたくせに，適切な担当者に引き継がなかった）として受け止めていた。もっともなことだ。しかし，その失望と怒りの下には，私への信頼と期待もあった。こうした話し合いをふまえて，私たちは，今度こそ相応の経験者と共に新たな心理療法で再出発するという結論に達し，決着した。

一方，若き担当者はとても深く傷つき，心理療法家としての道を辞そうとまで思い詰めていた。この心理療法家はスーパービジョンを受けつつ実践に取り組んでいた。しかし，そのスーパーバイザーは，実はスーパーバイザーとしての経験が浅い人であって，それも不運のひとつであった。私は心理療法家と今回の体験について話し合う機会を持つと共に，そのスーパーバイザーとも別途同様に話し合いのセッションを設けた。そうすることで，最終的に，若き心理療法家はなんとかこの道に踏みとどまる決心をしたが，その決意にたどり着くには決して平坦ならざる紆余曲折を要したのだった。

　このように，患者の攻撃性・破壊性の強さに釣り合った心理療法家を組み合わせることは，患者と心理療法家の双方にとって重要である。さもなければお互いに傷を負い，最悪の場合どちらか，もしくは双方が破壊されてしまうことになる（Milton, 1997）。

3．個人的な状況：心の動かなさと未解決の問題

　自らの心のあり方，その動き方，それを把握できる度合いも，それぞれの心理療法家によって差異がある。自分が今どのような転移・逆転移の中にあり，どのような影響を受けているかリアルタイムで感じ取りにくかったり，それを生きた言語として表現するのが難しかったりという状態は，初学者から中堅以降に至るまで，幅広い層の心理療法家に観察できる。これらがあまりに難しいとき，特に非言語によるコミュニケーションが活発な患者の動きをリアルタイムで理解し，適切な関わりを維持していくことはなかなか難しいだろう。

　ある心理療法家は事例検討会や会議など，どこへ行っても発言したことがない。自分が何を感じているかよくわからないのだ。モヤモヤした感覚が知覚できる場合もあるにはあるが，そのモヤモヤの正体が何か考えてみてもわからない。あるときふと，セッションの中で患者といるときも似たような状態であることに気がついた。患者の話を聴いているとモヤモヤする。嫌な後味が残ることもある。でもそれが何なのか，それ以上はどうしてもわからなかった。

別の心理療法家も，自分がいま何を感じているのかわからない。というより，自分がいま何を感じているか考えもしない。患者といるときいつも考えているのは，患者の病についてであり，それがフロイトや他の誰かの理論にいかに当てはまるか，要するにこの患者は専門用語で言うところの何にあたるかということだ。「おお，この間セミナーで読んだあの論文の通りだ！」と思うとき，心理療法家は嬉しくなる。ビオン（あるいは他の誰か）の著書で読んだような，格好いい解釈を意気揚々と口にしているときも。

　心理療法家が未消化・未解決の問題を抱えている場合もある。自分の個人的な問題とあまりにも直結し絡み合った問題を抱える患者を相手に，心理療法家として適切に機能することは自ずと困難だろう。特定の転移・逆転移や特定の状況に耐えられないかもしれない。

　ある中年女性が新患としてクリニックに現れ「どうしても自分の子どもを殴ってしまい，ひどく後悔するのにやめられない。自分は何かおかしいのではないか，助けてほしい」と訴えた。この患者を前に，心理療法家は無性に腹が立ってくるばかりか，嫌悪感さえ湧き，患者を非難する言葉で心が埋め尽くされてしまった。
　ポリティカル・コレクトネスの観点から鑑みて云々をはるかに超えた鮮やかさで，心に情緒が湧き上がる。患者について考えなければと頭では思うものの，こみ上げる憎悪をどうすることもできず，ただキッと口を閉ざしているより他にない。全然仕事にならない。
　その夜，突如，心理療法家の心に幼い頃の記憶が蘇った。わけもわからず母親に殴られた日々。割れて飛び散った皿の破片を黙々と片付けた夜。長い間思い出しもせずにきたのに，今，自分が苛立ちと嫌悪と憎しみにすっかり飲み込まれているのに気づいた。心理療法家は今なお心の奥底が深く傷ついたままで，実は母親を恨み続けているのだった。いったんそれに気づいてしまうと，自分が"母親"である患者に会うときはたいがい似たり寄ったりの状態になり，知らず知らず，患者ではなくその子どもに肩入れしているように思え，不安でいたたまれない。「このままあの患者に会い続けることは，今の自分にはできな

いな」と心理療法家は考えた。さて，どうしたものか。

　このような体験が，まるっきり，全然ないという人はおそらくいないのではないか。まず，このような状態である自分に気づくこと。そして気づいたら考え抜くこと。スーパーバイザーの助けを借りてもいいし，場合によっては自分が心理療法を受けることもとても役に立つ。居住地区によっては，適切なスーパーバイザー候補や心理療法を打診できる臨床家を見つけられない状況もあるかもしれない。スーパービジョンにせよ心理療法にせよ，原則的に直接会っておこなうことが最善だが，近年では次善の策としてSkypeやZoomなど[3]を用いオンラインでおこなう場合もある（Russell, 2015）。どうしてもやむを得ない場合は，スーパーバイザー候補者や心理療法を頼みたい心理療法家に相談してみるとよいだろう。

　普段は自分の個人的な問題にさほど振り回されない人でも，ある特殊な状況におかれている今この時期に限って難しい状態に陥ることもある。たとえば自分や家族がいろいろな困難に直面している最中。自分や家族の健康状態が損なわれているとき。大事な人を亡くしたあと。いろいろな事情で生活が揺れ動いているときなど。人生はいろいろなことが起こる。

　ある心理療法家は経験豊富で有能な人だ。あるとき配偶者の浮気が発覚し，あれよあれよという間に離婚に至った。心理療法家は信頼していた人の裏切りと，結婚生活の予想外の破綻に想像以上に傷ついた。
　時を同じくして，軽薄な恋愛ごっこの"武勇伝"を語る患者や，配偶者への不満を語る患者とのセッションで，まるで気が遠くなるように集中力が極度に低下する自分に気づいた。ひどく猜疑的で厭世的になった自分にも気づいた。長く続いていた患者との心理療法のいくつかも，どういうわけか不穏な空気に覆われていった。自分はしばらく休んだ方がいいかもしれない，と心理療法家は思った。

---

[3] Skype Ⓒ Microsoft. https://skype.com
　　Zoom Ⓒ Zoom Video Communications, Inc. https://zoom.us

ちなみにスーパーバイザーの視点から少し。

スーパービジョンの目的のひとつは，患者とスーパーバイジーの間に展開する激しい転移・逆転移を，スーパーバイジーとともに理解を深めることである。そうすることで，スーパービジョンは，直接的にはスーパーバイジーの安全と成長を，間接的には患者の安全と成長を支えることができる。原則として，スーパービジョンで取り扱うことができる逆転移は，患者からの非言語コミュニケーションの結果，本来患者の心にあった情緒などが，投影性同一視の力によって心理療法家の心に投じられ，生じせしめられたものである，という観点からの理解を主眼にせざるを得ない（Helmann, 1950, 1959; Joseph, 2011）。

しかし先に挙げた例のように，個人的な困難のために苦戦しているだろうことが，セッションでのやりとりの様子から推測できる場合がある。このような古典的な意味合いの逆転移（Freud, 1910）に対してスーパーバイザーができるのは「このような状況でしばしば同じような困難に陥るようだ」「それにはあなたの個人的な何かが関与している可能性がある」「については，このことについてよく考えてみる必要があるのではないか」「しかるべき人のもとで精神分析的心理療法を受けることも検討してはいかがか」と助言するところまで。その「個人的な何か」の中身に踏み込むことはできない。スーパーバイザーという役割の責任範疇を超えている。苦しいところである（Heimann, 1954; Barnett & Molzon, 2014）。

4．自分のパラダイムを選ぶ

心の世界を理解しようとする試みには何らかのパラダイム（理論的枠組み）が必要だ。心理学的・精神医学的な立脚点に基づくものだけに限っても，人の心の成り立ちや動き方，障害論，治療論等さまざまなパラダイムが存在し，そのそれぞれに特徴（長所と短所，得手と不得手）がある。すでに繰り返し述べているように，この世に完全無欠で唯一絶対なものはない。だから数あるパラダイムの中でどれを自分の拠り所として選択するかは，ひとえに自分の判断・決断による。それぞれの歴史や特徴，長所と短所を比較吟味し，あなたが心から本当に頷けるものを選ぶしかない。その判断には，文献を読み比べたり，ワークショップなどに参加したりして体験してみることが参考になるだろう。たと

えばまだ若い大学生・大学院修士課程の学生なら，特定のパラダイムにあまり早々と限局せず，近い将来におこなうことになる判断・決断のために必要となる材料を集める時間ととらえ，さまざまな体験をしたり，人の話を聴いたりすることが大切ではないだろうか。

そうした判断・決断には，効果研究の成果などいわゆる客観的データ（たとえば Fonagy ら［2015］）だけでなく，自分自身の個人的な性格，育ってきた歴史，培った信念，獲得した世界観などが大きな影響力を持つ。むしろそうした個人的な要因こそが，あなたの選択に強力に反映されている。つまり，あなたが特定のパラダイムを選択するに至るプロセスは，そのままあなた自身について考え理解するプロセスであるといえる。われわれ治療者にとっては，そのプロセスこそが大切なものだ。たとえばこの分野に留まらぬ，さまざまな分野における古今東西の先達の伝記・自伝等を読むと，いかにその人個人のストーリーとその人の仕事・生業が密着し，互いに関連しあっているかわかる。

筆者は精神分析的な考え方，さらに限局していえばその中でも現代クライン学派的な考え方に基づく理解を，基盤とするパラダイムとして選んだが，それはあくまでも筆者の選択と決断であり，それが誰にとっても唯一無二の決断ではない。あなた自身が考え抜いて，相当の理由によって，特定のパラダイムを選択したのであれば，それがあなたにとっての答えだろう。それぞれのパラダイムによって，得意とする問題の種類や質が異なるから，われわれはその違いを尊重しつつ，適切に多様な（同業種・異業種の）同僚たちと共存できるよう，自らの技術を向上させるべく研鑽を積む。それは終わりなき旅である。情報も集めず，考え抜きもせず，選択も判断も決断もなくあちこちつまみながらふらふら流されて適当に歩くのは，もっとも残念なことだ。自らについて苦しみ考え抜いたことがない，考えようとしない治療者など，どうして治療者として機能できようか。

あえて言うならば，ある特定のパラダイムを選択したとき，それをあなたがものにできるかどうかはまた別の話だ。われわれが一生体として所有する資源（能力，体力，時間，財力，その他）は限りがある。今西（1972）が言うように，急流に住む個体と緩流に住む個体は同一種でも体の構造が異なる。急流の魚は急流を，緩流の魚は緩流を極めるのが，建設的棲み分けといえる。

Ⅱ　自分の組織・現場のアセスメント

　自分が所属する組織や現場についてもあらかじめアセスメントしておこう。どのような特徴と限界があるだろう？
　ある状態のある心理療法家が引き受けられても，他の状態の他の心理療法家には引き受けられない患者や状態があるのとまったく同じように，ある状態のある組織が引き受けられても，他の状態の他の組織には引き受けられない患者や状態がある。それは決して優劣の問題ではない。特徴と限界の話である。

１．歴史を踏まえた特徴

　組織が発足・運営されてきた歴史は，それぞれ独自の専門性・特徴・限界を形作る。自分が所属する組織はどのようなものだろう。
　たとえば医療機関ひとつとっても，各種依存症や特定の疾患，子ども・思春期〜老年期など特定の年代，入院でおこなう精神分析的心理療法，精神分析的グループ療法をはじめとするグループ・アプローチ，多言語を含む多文化対応など，さまざまな専門性を有するところがある。リーズナブルな地理範囲内に，患者の状態に対してより高い専門性を有する組織が存在するなら，その組織への紹介も治療選択肢のひとつになる。

　　ある病院は，アルコールや各種物質依存を抱えた患者たちの治療を主に発展してきた経緯があった。そのため，精神科的・身体科的治療，個人を対象にした精神分析的心理療法，精神分析的グループ療法，ピア・グループ，家族向けのグループ，社会復帰支援など，この問題を抱えた患者と家族を複合的に治療し支援する体制が整えられていた。
　　さて，その病院の近隣にある精神科外来クリニックに勤務する心理療法家が，ある患者をアセスメント・コンサルテーションした。「気持ちが落ち込んで話を聞いてもらいたいので，カウンセリングをしてほしい」という主訴である。しかしセッションが進むうち，徐々に飲酒の問題が現在の状況に明らかに強く影響を及ぼしていることがわかってきた。「お酒を呑んでいるときが一番幸せ

だ，ずっと呑んでいたい」などと発言し，現に昼夜なくお酒をあおっては暴言を吐いたり，暴れて物を壊したりで，挙句，仕事は解雇され，本人と家族の生活に支障が出ていた。心理療法家は，自分が自クリニックで抱え込むよりむしろ，先述の病院にこの患者を紹介し，包括的な治療を受けられる環境に身を置く方がより適切ではないかと考えた。

2．その組織の構造を踏まえた特徴

　物理的構造，およびそれ以外の構造は，その組織の特徴に大きな影響を及ぼす。その組織はどのような構造の中に存在するだろうか。とても対象的な2例を挙げよう。

　【構造A】ある心理療法家は，郊外の静かな住宅街で個人開業している。そのオフィスは住居と事務所が混在するワンルーム・マンションの一室だ。玄関扉を開くと即オフィスのすべてが見渡せて，そこには心理療法家と患者以外誰もいないことが一目でわかる。夕方以降は，建物そのもののひとけが失せて静まり返る。

　【構造B】別の心理療法家は精神科病院に勤務している。駅前で，病院周辺は人通りが途切れないし，そもそも病院には医師，看護師，受付スタッフ，警備スタッフ等々実にさまざまな同僚たちがいつも行き来している。外来だけでなく入院施設もあるし，開放病棟，閉鎖病棟，保護室もあって，患者にとっても心理療法家にとっても抱えられている安心感がある。

　たとえ心理療法家個人の特徴と限界が同一でも，構造Aで心理療法をおこなう場合と構造Bでおこなう場合では，引き受けられる患者・疾患・状態が自ずと異なる。同一の心理療法家であっても，極めて激しい衝動性・破壊性を特徴とするような患者を，たとえば構造Aにおいては引き受けられなくても，構造Bでなら引き受けられるという判断もあり得る。

　英国ロンドン郊外に，パーソナリティ障害の成人患者とその子どもたちの入

院治療と支援を目的に，精神分析的心理療法家たちが中心となり運営してきた病院がある[*4]。筆者が見学に訪れた 2009 年当時は，スタッフと患者がみなで車座になっておこなうミーティングで 1 日が始まり，同じくみなで取り組む食事の準備から片付け，施設内外の清掃，手芸や工作，散歩や園芸などのアクティビティに加え，個人と集団を対象にした精神分析的心理療法をおこなっていた。

　一方，タビストック・クリニック成人部門も，成人患者を多数受け入れ，パーソナリティ障害はもちろん，その他多様な問題に苦しむ個人と集団を対象にした精神分析的心理療法をおこなっていた。そして，こちらは外来クリニックであった。

　タビストック・クリニックに紹介されてきた患者たちの中で，たとえば特に激しい自傷行為が慢性的に続いていたり，心理的にだけでなく物理的にもしっかり抱えられる環境が必要不可欠であろうと見込まれるような患者は，紹介状を受け取って検討した段階で，あるいはアセスメント・コンサルテーションを経て，先に述べた病院に紹介することは多々あった。専門性は類似していても，構造に違いがあるからである。

3．所属メンバーの関係性を踏まえた特徴

その組織に所属するメンバーはひとりか複数か，互いに適切に連携しあいチームとして動くことが可能かどうか次第でも，引き受けられる患者は異なる。

　ある心理療法家は単身で活動していて，周辺に連携を取れる仲間もいない。何もかも自分で対処しなければならないので，大人の患者に未成年の子どもがいて，この子どもにも何らかの手立てが必要そうな場合などは完全にお手上げだ。

　ある組織には複数の心理療法家が在籍し，何人かは精神分析的心理療法を，

＊4　Cassel Hospital, West London NHS Trust. https://www.westlondon.nhs.uk/contact-us/sites-and-locations/cassel-hospital-services/

何人かは認知行動療法を，そして何人かは復職支援目的のグループワークを専門としていて，目的ごとに分業して協働できる理想的なチームになる可能性を内包している。しかし残念ながら，メンバーはそれぞれ勤務日がばらばらの非常勤のうえ，互いに没交渉で連絡を取りあうこともない。協働はおろか，患者を紹介しあったり引き継いだりもできそうもない。

　別の組織は規模としては非常に小さいが，大人の精神分析的心理療法を専門にする者と，子どもおよびその家族の精神分析的心理療法を専門にする者が在籍している。両者は普段から定期的に情報交換しており，信頼を基盤に互いに連携して任務にあたる体制が整っている。必要に応じ自分の患者の家族を紹介し，担当してもらったりも可能だ（大人の患者の子どもを子ども担当者に，子どもの患者の親を大人担当者に）。専門性は異なるが，精神分析的心理療法をおこなうという点は共通しており，互いがいま直面している臨床的困難について議論し支えあうこともできる。

その組織における同僚の存在とその関係性は，その組織内でどのような状態のどのような患者を，どの程度安心して安定的に引き受けることができるかに大きな影響を及ぼす。

4．組織を構成するさまざまな人々

組織は同業の同僚だけでなく，実にさまざまな人々で構成されている。彼らの存在は陰に陽に組織の能力に影響を及ぼしている。

心理療法家を個人的に支えるスーパーバイザー，グループスーパービジョンや研究会の仲間は言うに及ばず，たとえばどこかに勤務しているなら，受付担当者，秘書，事務担当者，総務課，医事課，学生課，教務課，清掃担当者，警備担当者。

個人で開業している人も，顧問弁護士・税理士，入居する建物の管理人・管理会社，清掃担当者，契約しているセキュリティ会社。近隣の住人や店舗の人々なども患者と心理療法家の姿を見，言葉を交わしていることもある。

これらの人々すべての存在が，直接的・間接的に"組織""チーム"となって，

患者と心理療法家を密かに抱えている。

　ある心理療法家は，マンションの一室にセッション・ルームを置き，小規模なチームで臨床活動をおこなっていた。管理人や他の住人とも顔を合わせれば挨拶し，折々に言葉を交わす，近すぎず遠すぎない良好な関係を維持している。あるとき患者のひとりが激昂し，大声で叫びながら乱暴にセッション・ルームを飛び出していった。確かに心理療法家は次のセッションまでずっとこの患者を心配し，気を揉み続けた。しかし，次のセッションには，あの激昂は何を意味していたか，どんな体験だったか検討し二人で話し合うことに集中でき，臨床活動の日々はそのまま続いていった。

　別の心理療法家も似たようなマンションで似たような臨床活動をおこなっていたが，管理人とも他の住人とも一切の接触がなかった。同様の出来事が起こったとき，たちまち近隣から苦情が寄せられた。心理療法家はどちらかというと，このマンションにいられなくなると困るので二度とあんな振る舞いをしないでもらいたいということの方が心配で，以降その患者とのセッションに集中しにくくなった。そしてこの心理療法家は，激昂する可能性が少しでもある患者はもう引き受けまい，と決心した。

5．状況を踏まえた特徴

　個人同様，組織もまた生きている。さまざまな状況に影響をされ時々刻々変化してゆく。

　メンバーの入れ替わり，経営者の交代，組織内で大きなインシデントがあった直後，経営状態の好転や悪化などから受ける影響はわかりやすい。このような要因が何ひとつなくても，組織が年老いたことにより，じわじわと保守的になったり柔軟性が失われたり，新しいメンバーの視点や考え方を取り入れることができなくなっていって，ふと気づけばほんの数年前とはまったく別のものになってしまうような例もある。

　大局的な経済状態の悪化や政局・政策の変化などにも影響を受け，これまで引き受けることが可能であった状態の患者を，もはや引き受けられなくなるよ

うな事態も起こる場合もある。

III　想像とシミュレーション

　実際にどのように，自分の所属する組織・現場で自分がアセスメント・コンサルテーションをおこない得るか具体的に想像し，そのプロセスをシミュレーションしてみること。

　単純に本書に記された事柄をまるでマニュアルのようにとらえて，自分の現場にそのまま引き写し機械的に実践することはできない。あなたの特徴・限界と，筆者の特徴・限界は異なる。あなたの現場の特徴・限界と，筆者の現場の特徴・限界も異なる。自分および自分の組織・現場をアセスメントし，その理解に即して，それぞれの局面にどのような工夫を加えたなら，より適切に機能することができるか思い描いてみよう。状況に応じ同僚などとも話し合ってみよう。このような検討がなければ，アセスメント・コンサルテーションは形式だけ真似してコピー＆ペーストした死んだものになってしまう。

　以下に困った状況の例を挙げる。この場合，どのように考えどのように判断すれば，適切にアセスメント・コンサルテーションをおこなえるだろうか。考えてみよう。

　　心理療法家Aは総合病院Bの精神科に勤務する臨床心理士だ。
　　ある日，精神科外来にひとりの新患が現れ，たまたまAが予診を担当した。患者はくしゃくしゃの紙を1枚握りしめている。見ると，それはAが学生時代に指導を受けた教授が患者の家族宛に送ったファクシミリの写しで，こう書かれてあった。「あなたのお子さんは，B病院のA氏による長期的な精神分析的心理療法が必要だから，外来を受診して，この紙を新患外来の担当医師に見せてください」。無理からぬことだが，患者は，B病院を受診しさえすれば「A氏による長期的な精神分析的心理療法」なるものを手に入れることができ，万事OKになると確信していた。
　　心理療法家Aは，これはまずいことになったと思いつつ，緊張と不安で動揺しながら，その日の新患担当医師Cに状況を説明し，この紙を見せた。案

の定医師Cは，面識もない何者かが患者の家族に送った私信によってすでに治療方針が決定され，既成事実化していることに憤慨した。そして，あたかも教授と結託しているかのように見える心理療法家Aに猛抗議した。

しかしAとて寝耳に水である。そういわれてみれば遡ること数週間前，教授から久しぶりに連絡がきて，B病院精神科における新患担当医師の名前は何か，と尋ねられた記憶が蘇る。友人の子どもがどうのこうのとぼやいていた気もする。こんな展開になるとは思ってもみなかった。教授のメンツを潰してしまうだろうから，この患者を断って引き受けないという選択肢はない，とAは思った。患者は万事うまくいくと信じ込んでニコニコしている。教授の期待は裏切れないが，患者の期待はもっと裏切れない。Aは苦悩した。

結局，まるで寄ってたかって教授と患者に型に嵌められたように，なし崩し的に精神分析的心理療法を始めることになった。そのまま主治医になった医師Cに対しては平身低頭である。肩身がせまい。

心理療法が始まってからの展開は，予想通りともいえるが，目もあてられないようなものだった。患者は日々のあれこれを怒涛のようにノンストップで延々吐き出したかと思うと，遅刻してきたり休んだり，Aにひどいことを言われたと主治医に泣きついて，そうでなくともこの件を快く思っていない主治医にAが怒られたりと，Aはひたすら患者に振り回された。患者には幼い子どもがいたが，適切に養育していないらしいことも次第に明らかになっていった。Aは心配でたまらなかったが，どうにも身動きが取れない。そして数カ月後，さしたる進展もないまま，患者はぷっつりと来なくなった。

この例には数多くの失敗が含まれているが，Aの最大の失敗は「なし崩し的に精神分析的心理療法を始め」たこと，すなわち開始にあたりアセスメント・コンサルテーションをおこなわなかったことだ。

アセスメント・コンサルテーションをおこなっていないので，患者が抱えている問題，その質，経緯，患者の求めているもの，モチベーション，状況，予想されるリスク，その他諸々が一切不明である。したがって，はたして本当にこの患者にとって「B病院のA氏による長期的な精神分析的心理療法」が役に立つのかどうかも判断できない。あとになってから幼児への虐待（ネグレク

ト）の可能性まで明らかになっていて，目を覆うばかりである。

　紹介が目上の者，つまりかつて世話になった教授からきたという理由で，無批判・無検討にファクシミリの指示をそのまま受け入れてしまったので，図らずも，この治療者は強く主張しさえすれば容易に「型に嵌め」ることができる，というメッセージを患者の心に送ることになってしまったかもしれない。のちに主治医となった新患担当医師と適切に機能できるチームを組むことにも失敗してしまった。

　紹介者に世話になったかどうかと，今この患者にどのような治療選択肢が適切かの間には，何の関連性もない。何はともあれ，まずアセスメント・コンサルテーションをおこなうのが適切な判断であったといえよう。

　いま挙げたのは惨憺たる失敗例のひとつだが，このような状況はあなたの身にも起こり得る。自分はどのようにすべきか，どのようにできるか，あらかじめ想像し考えを巡らせてみよう。

Ⅳ　具体的な用意

　たとえばセッションルームや様式など，細々したものを作り整えておくことから，紹介の引き受け方や予約方法などの整理まで，あらかじめ考え抜き，用意しておきたい事柄は，小さなものから大きなものまで数限りない。

　しかしすでに述べたように，筆者のやり方を事細かく書き連ねたところであなたにそのまま移植できるわけでもない。だからここでは最小限について述べるに留めておく。ここに挙げたものを参考に，各自心ゆくまで検討しておこう（たとえば Coltart, 1993; Hodson, 2012; Rye, 2016 なども参照）。納得したらあとはもう走りながら日々試行錯誤するのみ。この種のことは検討しても検討し尽くすことはない。細々とした不具合に出くわしては考え直し，また出くわしては修正し，ことのほかうまく機能して小さな満足を覚え，あれこれ更新し積み上げてゆくことが，結局，われわれ自身を作り上げる。

1．物理的な容れ物

　セッションルームおよびそれが収容されている建物全体は，とにかく心理療

法家と患者がともに安心して存在でき，両者が集中して心理療法に取り組めることが最優先である。

　何はともあれ，とにかく安全で清潔な建物。その中に配置されたほどほどの大きさの部屋。外界（現実）からすっかり遮断されたり，二人きりで孤立してしまったりしないそこそこの防音。何十年もの長い間，文字通りあなたと患者を抱える椅子やその他の家具。快適さを整えるリネン類。厳しい局面にあるとき，あなたと患者を密かに支える若干の装飾品。たとえばささやかな絵画や生花。望まない人に侵入されない仕組みとそれに必要な構造物。必要に応じて助けを求められること。その現場の状況に応じ，内線，インターフォン，パニックボタンなどがこれに相当するだろう。災害や諸々の緊急事態への備え。これらすべてを維持するための掃除と洗濯。定期的なメンテナンス作業。

　思考や感情を不必要に乱されないよう，建物や部屋に余計な個性はいらない。しかし，ひとつひとつの選択は否応なくあなたを映し出す鏡だ。余計な個性がないのが個性であったりもする。あなたが何に価値を置いて何に置かず，何を優先し何を優先しない人か，微細な諸々が図らずも表現している。患者はそうしたメッセージを，意識的にも無意識的にも察知するだろう。同僚のオフィスを見せてもらうことや，先達のオフィスの図面（たとえば Winnicott, 1977）や写真（Gerald, 2019）も，とても参考になる。

　勤務先の事情のために，想定したような環境で任務にあたれない場合もいくらでもあるだろう。しかし限られたなかで工夫できることはある。まず，何がなぜどのように理想的でないのか，どのように不具合なのか考えてみる。何をなぜどうしたいのか同僚同士話し合ってみる。設備に関する権限を持つ上司や担当者などと話をしてみることもできる。何をなぜどのように考えているのか，根気よくくじけずに語りあい続けること。それそのものがとても大切な，意味ある過程だ。

　病院で勤務している心理療法家は，外来診察室や病棟の面会室をセッション・ルームとして使うこともある。その診察室の壁の上方が一部開口し，会話が隣に聴こえるように設計されていて，患者だけでなく心理療法家もそわそわして妙に小声になったりすることもある。セッション途中で看護師がカルテなどを

取りに入ってきたりすることもあるし，他の診療科とセッション・ルームが共有で，時間や空間を分けあううえで混乱や困難がある例もあるだろう。

複数の心理療法家とひとつのセッション・ルームを共有していると，突然奇妙な，自分の好みにそぐわないオブジェが置かれて仰天するようなことがある。

あるいは臨時的に他の心理療法家に部屋を貸したあと，家具の配置がひどく乱されたままだったり，ゴミ箱が満杯のままだったり，飲みかけのコーヒーカップがいくつも放置されていたりする場合もある。その部屋の主である心理療法家はいつも，自分の聖域が汚されたような気がして，いちいち腹を立て，憤慨しながら掃除に走り回る羽目になる。

このような状況はさして珍しいことでもなく，どこの現場でも頻繁に出くわすことだろう。必ずしも理想通りではない環境で，どのようにしたらより適切に任務を遂行できるか。誰にどのように，どのような言葉を選んで語り合えばいいか。あるひとつの手がうまく運ばなかったら次はどうするか。知恵を絞り続けるのは，われわれの任務の大事な一部である。時間をかけてだんだんと望むような場所ににじり寄っていければそれでいい。そして，なんだ，それって結局心理療法と同じことだな，と気づくのだ。

2．セッション・ルームまでの導線

最寄駅からセッション・ルームまで，どのような道をたどって患者はやってくるだろう。とにかく安全で，夕方以降も人通りが完全に途切れず，あまりにも真っ暗になってしまわない，そしてさほど困難なく到着できそうな道筋があってほしい。

建物の内部に待合室や待合コーナーがあるとお互い便利だろう。セッション・ルームから出てくる人と次にそこへ入っていく人が，互いに顔を合わせずに済むような形にできたら理想的である。他のセッション・ルームに入っていくだろう人と並んで待合室に座っているというのも，人によっては落ち着かないものだ。待合室を設置できるかどうかは，建物の広さや構造に大いに左右される。建物内に待合コーナーを置けない場合は，建物があるエリア全体に視野を広げて考えることも有益かもしれない。近隣の喫茶店や公園のベンチが待合室的な

役割を担うこともある．快適な方法を可能な範囲で模索したいものだ．

　大きな病院や相談機関などで，玄関や受付，待合室からセッション・ルームまで距離が離れていたり道順が複雑だったりする場合，心理療法家が建物の玄関や受付まで出向いて，世間話などをしながらセッション・ルームまで連れ立って歩いてくることが習わしになっている例をときどき耳にする．どういうわけでそのような事態になっているのか，ぜひ考えてみたいところだ．

3．連絡手段

　近頃は，個人開業でなくても，受付などの専門スタッフを介さず心理療法家が直接患者とやりとりする現場が散見される．それをどのようにおこなうか．

　連絡の取り損ねがない安全な手段で，心理療法家と患者の双方が安心して用いることができるものが，なんといっても一番だ．

　筆者は基本的にメールと郵便を用いている．災害時や緊急時には，メール連絡に併せて公式ウェブサイトにも掲示を出す．

　電話とファクシミリは用いていない．セッション中，その直前直後，休息時間中，営業時間外は対応できないことを考えると，筆者にとっては実用的でないのだ．

　どんなに考え抜こうとも，予測不能な理由で連絡ミスが生じるときがある．誰とどのようにどんな連絡ミスが生じるかは，その患者が抱える困難の特徴を，図らずも体現していることが多いようなのは実に不思議なことだ．

　　決して誰にも自分を大事にしてもらえない，そのため長年あまりにも孤独だと嘆き，腹を立て苦しんでいる患者が紹介されてきた．
　　アセスメント・コンサルテーションの最初の予約を取るべく，心理療法家は患者にメールを送ったが，返信がなく，何度かメールを再送してもやはり反応がなかった．そのまま何週間か過ぎた頃，患者から連絡があった．患者は「待てど暮らせどなしのつぶてだ，自分を軽んじているのではないか，無礼だ」と言って憤慨していた．
　　さて，アセスメント・コンサルテーションが始まると，患者は真っ先にこの出来事を話題にし，自分がどれほど不安になり傷ついたかを心理療法家にぶち

まけるように訴えた。

　この体験について，そして患者の積年の体験について振り返り語るうち，次第に，患者にとって，他者とコミュニケーションをすることがいかに難しいか，患者と他者の結びつきはいかに簡単に途切れてしまうものであるかが浮かび上がってきた。心理療法家にしても，いま思えば，なぜメールの代わりに手紙も出さず，数週間放置したのか，我ながらわけがわからない。今回図らずも，患者 - 紹介者 - 心理療法家の間でも，患者が長年苦しみ続けてきたこのコミュニケーションの困難さが再現されたのだった。

　結びつきが破断されてしまう寸前で，患者 - 紹介者 - 心理療法家は際どく踏みとどまることができたことに，患者だけでなく心理療法家も胸をなでおろした。「危ないところだった，もうこんなことはたくさんだ」と言って患者は涙を流した。心理療法家の心もまざまざと痛んだ。

4．タイムテーブル

　自分が週あたり・日あたり何名の予約を受け入れることが可能か，自分の特徴と限界，現在の状況などを勘案して最適なタイムテーブルを考え，それを冷静に維持しよう。自分で決めた人数および営業時間を超えて引き受けない。たとえば早朝，深夜，週末，祝日に引き受けないと決めたら引き受けない（早朝および深夜の定義は人により異なる）。無理をすると余計な逆転移に悩まされる羽目になる。後悔しても後の祭りである。

　たとえばこんな夢を見るようになったら，自分の限界を超えていないか冷静に吟味する必要があるだろう。

　「ある中学校に，生徒たちからとても慕われている女性教師がいたが，生徒たちは思慕の気持ちを露わにすることは一切なく，いつもおとなしかった。そうした想いを胸に，生徒たちはいつしか教師の背後に行列を形作り，付き従って歩き始めた。その列は集団を形作り膨れ上がりながら静かに黒々と行進した。集団の想念は思い詰めるように高まり，蒸気のように空に舞い上がって渦巻いた。やがて閾値を超え，破裂するように，集団は教師に殺到し教師をもみくちゃにした。一点に密集した集団が再び散っていったとき，そこに教師の姿はなかっ

た。集団は教師を食べ尽くしてしまったのだ……」。目覚めたとき私は，映画『パフューム ある人殺しの物語』（Tykwer, 2006）を思い出し身震いした。

　定期的な予約とは別に，アセスメント・コンサルテーションなど短期的なもののための時間を取り分けておくと，定期的な予約がいっぱいでも，アセスメント・コンサルテーションを引き受けて，丁寧に検討し適切な同僚や他機関に紹介する仕事に取り組み続けることができる。この枠がないと，アセスメント・コンサルテーションそのものを引き受けられない期間が長く続くことになる。
　「この患者さんの状況を考えるとやむを得ないから」「この先生からの紹介は引き受けないわけにいかないから」「この人はしょっちゅう問い合わせてくる人だから」など，無理を押して引き受けたい衝動を抑えられないときは，立ち止まって自分自身についてよく考えてみるタイミングではないか。たとえば自分の心の中にある強い救済者願望，万能感，断れなさ，意志の弱さ，劣等感など。

5．ウエイティング・リスト

　自分の限界を超えた依頼は，率直にその旨を明らかにして組織内外の同僚に紹介するか，ウエイティング・リストに登録して管理する。患者の氏名を，登録年月日，希望曜日・時間など必要情報とともに記録し，空きが出次第順番に連絡をする。
　アセスメント・コンサルテーションの前にウエイティング・リストに登録するか，アセスメント・コンサルテーションのあとでウエイティング・リストに入れるかは，それぞれ一長一短なので，患者（になるかもしれない人）と心理療法家それぞれ個別の状況に応じて判断する。
　ウエイティング・リストがあまり長くなると，アセスメント・コンサルテーションや心理療法を開始する順番が数年単位で先になってしまう。ある程度の人数になったら，リストに登録すること自体打ち止めにするのが現実的だろう。"ウエイティング"・リストとは，要するにいま他の患者と進行中のアセスメント・コンサルテーションや心理療法が終了するのを，待っている状態を意味する。物事の性質上，いついつまでに空きが出ますと確約することはできない。諸々の事情で急いでいる，あるいは特定の期日までに心理療法を開始しなけれ

ばならない患者はウエイティング・リストに入れず，同僚や他期間に紹介するのが適切な判断であろう。

6．料金と支払い

患者が自分と話をするといくら支払う必要があるのか。たとえば大きな組織に所属する心理療法家などで，このことを把握していない例があるようだ。

自分が料金を設定可能な状況にある心理療法家なら，1セッションあたりいくらであれば自分が安全に安心して臨床活動に集中し，それを維持可能であるか，すでに検討しただろう。アセスメント・コンサルテーションでは，実際問題，その金額を患者が必要な期間にわたって支払い可能かを考えたい。単純な話，われわれは患者を破算させるために会っているのではない。しかし逆にわれわれが破算してしまっては臨床活動を，ことによると自分自身をも維持できない。

患者が心理療法の料金が高額すぎて支払えないと言うとき，それが意識的・無意識的に何を意味するか，まずは丁寧に吟味したい。現実的に明らかに自分の心理療法の料金が患者の支払い能力を超えているとき，そのまま単純に自分が引き受ける以前に検討すべき事柄がある。たとえば何らかの支払い補助が利用できるだろうか。減額，貸与，補助金制度など。それらを利用するのがさまざまな意味で適切か。むしろ患者が両親や配偶者に率直に相談し援助を求める決断を支えることが，治療上の観点から見て有益ではないか。あるいはより安価な同僚や他の組織に紹介することが妥当ではないか。一般的には，個人開業オフィスより大学院附属の心理臨床センターなどの方が安価である。医療機関で保険範囲内の心理療法を受ける選択もある。心理療法より，またはそれに併せて，社会福祉サービスなどを紹介して，生活の経済的安全を整えることが先決であろう場合もある。こうした事柄はアセスメント・コンサルテーションの中で患者と率直に話し合う必要があるだろう。諸々の準備を整えておきたい。

7．セッション数とセッション長

アセスメント・コンサルテーションは，最低でも2セッションを費やす（Garelick, 1994）。そのメリットは以下の通りである。

第一に，次のセッションまでに先のセッションを振り返り，その体験を咀嚼する時間が確保できる。患者と心理療法家の双方にとってメリットである。
　強力な転移・逆転移が展開するセッションでは，真っ最中にその動きを理解するのがなかなか難しい場合がある。何かを感じた瞬間につかめなかったり，うまく言い表せなかったりする。あとになってから何かを感じ始めることもある。患者も心理療法家も，この期間に夢を見ることは稀ではない。セッションでの体験や，それに基づいた今後の展望に関する夢として理解できる。夢について詳しくは後述する（本書 p.110 を参照）。
　第二に，より適した心理療法の構造を検討するための情報が体験的に得られる。
　たとえば1週間に一度のペースでアセスメント・コンサルテーションをおこなう状況を想像してみよう。この1週間のうちに，患者の不安が顕著に高まって抑えきれず家族と激しく衝突したり，予約外で何度も心理療法家のもとを訪れたり，病院の救急外来を訪れることになったなら，週1回の心理療法を始めたときも大なり小なり似たような状況になるだろう，と考えるのが自然というものだ。アセスメント・コンサルテーションを複数セッションおこなうと，こうした動揺がセッションを重ねて対話を続けることで軽減するかどうかも体験的に理解できる。はたしてこの状態を，自分が自分の組織で安全に抱えることは可能だろうか。患者は安心して心理療法に取り組むことができるだろうか。他の構造がより適切である可能性も検討することになろう。緊急対応ができない組織より，たとえば救急外来，デイケア，入院施設などを有する組織の方が，安全に心理療法をおこなえる場合もある。
　逆に，ひとつのセッション内で患者と心理療法家が情緒的な心の接触を体験し，確かに互いに心を動かされたのに，次のセッションまでの1週間にその体験が見事に失われ，もう一度はじめから時間と対話を積み重ね直さなければならない患者がいる。週に1度の心理療法では間が空きすぎることを示唆しているかもしれない。
　第三に，複数セッションがあることで，あとからの理解や感じたこと，今後の展開にまつわる予測や要望などを，お互い実体験に基づいて話し合い，検討してゆくことができる。それは患者の心の世界について理解を推し進め，より

適切な治療選択肢を提示し，決断するために役立つ．

　以上に述べた観点から，アセスメント・コンサルテーションのセッション間の長さは，自分が心理療法をおこなう際のもっともベーシックな間隔（たとえば週に1度）が適しているだろう．

　アセスメント・コンサルテーションが最低2セッションであるとして，では，何セッションで結論に到達するか．それは心理療法家の経験や技量，患者の状態，二人の組み合わせなどによって異なるので，一概に何セッションと決めることはできない．経験上，だいたい3〜4セッション程度で結論するように思うが，複雑な状況だったり，まだアセスメント・コンサルテーションに慣れていない心理療法家がおこなったりする場合，もっとセッション数が必要なこともあるだろう．早く終わらせればよいというものでもない．焦らず，適切な結論に共にたどり着けるよう，丁寧に進める．そうはいっても10セッションも20セッションも費やすと，アセスメント・コンサルテーションだか短期療法だか，わからなくなってしまう．

　ある患者は子どもの頃から友人もなく，誰とも深く付き合うことなく，現在一人暮らしで，ある小さな会社の事務仕事をして生計を立てていた．しかしある日突然，このままではあまりにも孤独だ，このままではいられないという衝動に突き動かされ，心理療法家のもとを訪れた．

　アセスメント・コンサルテーションを始めたが，患者は心理療法家とも"深く付き合う"ことを恐れ，セッションは事務連絡のような淡々とした語りで埋め尽くされた．患者は「このままではいけないから，心理療法を受けなければならない」と繰り返し言ったが，それも壁に貼られた標語を読み上げているように聞こえたし，心理療法家との対話によって自分の心が揺り動かされることを恐れ，警戒を解くことなく心身を硬くして，夢さえ見ぬまま数セッションが過ぎた．

　結局，心理療法家は「このままではいられないが，新たな世界に一歩踏み出すのは怖すぎるという葛藤のもと，患者はとても長い間，膠着状態で生き続けてきたのだろう」「今こうして心理療法を求めてここまでやってきたが，それでもなお，この長年の膠着状態から抜け出すことにためらう気持ちがとても強

い」という理解を伝えた。そして，人と関わるとはどのようなことか試しに体験し，本当に心理療法を始め，担当者と"深く付き合う"関係に踏み出していきたいと思うか考えてみるという目的で精神分析的短期療法を勧め，それが終了したときに改めてもう一度アセスメント・コンサルテーション*5をおこなって話し合う機会を持つことを提案した。患者もこれに同意し，ほっとしたような様子を見せた。

アセスメント・コンサルテーションの冒頭に，たとえば「全4回お会いします」と宣言するという話を聞くことがあるが，何セッションで結論に到達できるかは始まってみなければわからない。3セッション目に結論に達して1セッション余ったり，逆にまだ何も明らかになっていないのに宣言した4セッションを使い切って困っている例があるようだ。
　たとえば筆者は，

　「今日お会いしているのは，あなたに何らかの心理療法がお役に立ちそうかどうか，立てるとするならどこでどのような心理療法をするのがもっともお役に立ちそうか，あなたと私の二人で丁寧に話し合ってよく考えるためです。そのためにこうして何セッションかお会いします」

というような言い方でアセスメント・コンサルテーションを始めている。どうしてもあらかじめ「全○回」と宣言しなければいられないような気持ちになるときは，宣言という行動を起こす前に，なぜ自分がそのような気持ちになっているのか考えてみよう。行動する前によく考えるのは，いつもとても大事なことだ。考え抜いた末におこなった行為と，「そういうことになっているから」ただおこなった行為の間には，天と地ほどの開きがある。その行動は本当に患者の役に立つか？　むしろ自分自身の不安を解消するため，自分の役に立つためではないか？
　これに対し，1セッションの長さは自分が決めた長さに固定すること。

---

*5　これをレビュー・コンサルテーションと呼ぶ。本書 p.149 も参照。

心理療法が1セッション50分なので，アセスメント・コンサルテーションも1セッション50分にするのもよい。アセスメント・コンサルテーションでは多様な情報を得なければならないから，長めの90分にするという考えもある。あなたの考えや状況，現場ごとの制約などに応じて決めればよい。

ただし，あの患者は50分でこの患者は90分とか，今日は何分で明日は何分とか，ふらふら変えないこと。変えたくなるような，いかにももっともらしい理由はいくらでもあるだろう。たとえば終了間際に大事な話をされたので20分延長したとか，号泣しておられたので終わりと言えずに30分延長したとか，逆に患者があまり話さなかったので30分で打ち切ったとか。延長したり短縮したり具体的な行動を起こす前に，自分の心の中で，そして二人の間で何が起こっているからそのような衝動や欲望が突き上げるのか，つまり転移・逆転移を黙ってよく吟味すること。具体的に行動を起こすより，立ち止まってよく考える方が，患者と自分の間に巻き起こっている転移・逆転移を，ひいては患者の心の世界を理解する足がかりを得ることができる。

8．設定

アセスメント・コンサルテーションは対面式，つまり，患者と心理療法家が椅子に座ってそれぞれを見やる形でおこなう。本書では大人の患者を想定しているので，通常，患者本人（1名）と心理療法家（1名）の二人でおこなう。

アセスメント・コンサルテーションの結果，たとえばカウチを使った精神分析的心理療法や，複数人の患者が参加する精神分析的グループ療法などをおこなうことになる可能性があるとしても同様である。

大人の患者で，親や子，配偶者と一緒に来ることを希望する場合がある。当日に突然誰かを伴って現れる場合もある。このような事態にどう対処するか，あらかじめ想像しておくこと。

その患者がその誰かを伴って現れた事情，意識的・無意識的な意図は何か，まず考えること。

たとえば高齢者であったり身体的制約があったりして，誰かを伴って行動する必要がある場合も，基本的には介助者はセッション・ルームの入り口まで，ないしは椅子に着席するところまでで退席してもらい，そこから先は患者本人

と心理療法家が二人で進めたい。セッション中は，介助者には部屋の外，たとえば待合室や受付，あるいは施設周辺で待機してもらう。セッションの中は，患者が心理療法家に他の誰にも話さないことを話し，他の誰にも見せない顔を見せる特異な時空間だ。親子や配偶者でも，むしろ逆に親子や配偶者であるからこそ，目撃者の存在はそのような高度に個人的な体験を難しくしてしまう。その体験の機会を守るための配慮である。

　しかし患者自身がそれを拒否することがある。自分は自分ひとりではあれないという絶望的無力さの表現か。自らの体験や情緒を，第三者をして語らせしめたいというある種の支配的な気持ちか。本当の患者は自分ではなく，介助者の方であるという無意識の意思表示か。あくまで介助者や他の誰か，たとえば紹介者に，送り込まれ連れてこられただけであり，自分の意志でここにきたのではない，だから自分は何も語ることがないという拒絶のメッセージか。心理療法家という見知らぬ誰かと二人きりになることに対する堪え難い恐怖の現れか。あるいはそれらの混ざりあったものか。これらの多様な可能性について，可能であるならまず患者と二人で話す時間を持ちたいものだ。

　それでもなお心理的な理由で絶対に心理療法家と二人，差し向かいになれないなら，やむを得まい，三者でアセスメント・コンサルテーションを始めることになる。この応用編のやり方で1ないし数セッションおこなったのち，通常通り二人で話す形に移行できるかもしれない。最後まで無理であり続けるなら，自ずと，一対一でおこなう形の心理療法は治療選択肢に入ってこないだろう。

　もし本当に，現実的に片時たりとも介助者から離れると危険である状態ならば，それは原則的な形の一対一の心理療法ではなく，どこでどのように誰となら安全に，かつ患者の役に立つ関わりを持てるのか検討し，話し合い，治療選択肢に乗せてくるアセスメント・コンサルテーションの視点が求められるだろう。

9．受付質問票

　受付質問票はとても重要である。これがあるとないではアセスメント・コンサルテーションの運び方がまるで変わってくる。

　受付質問票は，アセスメント・コンサルテーションでお会いする患者の全員

にあらかじめ記入してもらう，一種のアンケート用紙である。

多くの組織では，新しい患者が現れたときに書いてもらう受付票があるだろうが，ほとんどの場合，氏名，生年月日（年齢），連絡先（住所，電話番号，メールアドレス），主訴を書いてもらうA4用紙1枚程度の簡単なものであるようだ。

参考として，筆者が現時点において使用しているものを付録1として巻末に紹介する。多岐にわたる詳しいものなので驚かれるかもしれない。これはもともと筆者がタビストック・クリニック成人部門に在籍していた際に用いていたもの（当時も頻繁に更新が加え続けられていた）をもとに，項目を追加したり削除したりして今も調整を続けながら使っているものだ[*6]。これから先も更新は続けるので，いつまでもこれとまったく同じものを使い続けるわけではないが，大筋としてはこのようなものであり続けるだろう。

本票は，患者を理解するうえで必要不可欠な事実関係から対象関係の特徴，リスク要因まで，多角的に把握することを意図して設計されている。時おり，ここに紹介したものから重要な項目を削除して転用されている例を目にするが，残念なことだ。

質問紙形式の心理検査全般が有するような特徴も，もちろん備えているので，記入された内容そのものだけでなく，それ以外の側面からも情報を得ることができる。この点は後述するが，たとえばSCT（精研式文章完成法テスト）など質問紙型心理検査に関する文献等も参考になるだろう。

1）受付質問票のメリット

この受付質問票を用いることのメリットは以下の通り。

A．最低限必要な事実関係がわかる（患者の主訴，それをどうしたいか，モチベーション，治療歴，生育歴，家族・居住状況，日々の生活の様子など）。

B．患者の心のあり方や対象関係の特徴，それらが形成された背景などが

＊6　本票および後述のサマリーの用紙を本書に掲載し紹介することは，筆者在籍当時のマネージャー経由で了承いただいた。改めてここに感謝する。

わかる（生育歴，学校での様子，勤め先での様子，交際歴，性的な困難
　　など）。
　C．リスク査定のために必要不可欠な最低限の情報がわかる（未成年との
　　同居，社会とのつながり，身体状況，薬物やアルコール等との付き合い，
　　希死念慮，自傷行為など）。
　D．患者が自らについて何をどのように語り，語らないかを観察できる。
　E．患者についてあらかじめ思いを巡らして咀嚼し，状況に応じ必要な検
　　討をおこなっておける。
　F．最低限必要な情報はすでに手元にあるので，アセスメント・コンサル
　　テーション中はリアルタイムの意識的・無意識的やりとりに集中できる。
　G．患者にとっては，自分が心理療法を本当に受け，自分の心の世界を探
　　究したいかどうか改めて考える契機になる。

　もしこの受付質問票を用いないなら，ここで網羅される情報はセッション中に観察したり尋ねたりして集めなければならなくなる。ここに挙げた情報を得るだけで何セッションも要するかもしれない。これらの情報を得るために患者にどう語りかけるかには，また別の工夫が必要だ。上から順に質問すればよいという機械的な話でもない。それではまるで尋問か何かのようだし，尋問形式でセッションを進める間に「ここでは専門家が自分の手を取ってどこかへ導いてくれる。自分は黙ってついてゆけばよい」という，依存的な，父権主義的な関係が構築されてしまう。精神分析的な関わりからは程遠い。
　アセスメント・コンサルテーションのセッションでは，今ここでの，特に転移・逆転移に注目したリアルタイムのやりとりの展開，そしてあなたとの対象関係の展開を観察し，患者の世界観や問題の特徴を理解したいが，この目的に集中するためには，あらかじめ受付質問票によって得た情報が足場になる。受付質問票なしに，このようなアセスメント・コンサルテーションのスタイルだけを真似たのであろう例を目にするが，例えるなら下調べもなく地図も持たずろくな装備もなしで，見知らぬ国にひとり飛び出すようなものだ。非常に危険でさえある。

２）受付質問票のデメリット

デメリットはなんといっても，この受付質問票に取り組み，書き上げるのはなかなか大変であるということ。受付質問票に書き込もうとするだけで否応なく，自分に，自分の心の世界に，自分の人生に向かいあうことになる。本当に自分は自分の心の世界に足を踏み入れたいか，本当に心理療法を始めたいか考えさせられる。不安や恐怖を感じる者もいる。真剣に悩みながら，何度も書き直し，用紙をぐちゃぐちゃにしつつ必死に書き上げる患者もいる。適当に書き飛ばす者もいる。ここで引き返す患者も一定数いる。

筆者が英国で精神分析を受け始める際にも，本票に類似した，もう少し他の項目も付け加わったものを書いた。その用紙を眺めながら，これに記入して提出したら，二度と再び今いる場所に今あるままで戻ってくることはできないのだなと思った。それは引き返せない三途の川を渡るような心持ちであったし，ある種のイニシエーションのようでもあった。記入し始めるのには勇気と踏ん切りが必要だった。

この点を100％デメリットとして片付けられるかは疑わしい。本票に含まれている項目はいずれも患者を理解するために必要なものだ。本票か，アセスメント・コンサルテーションのセッション内かの違いこそあれ，遅かれ早かれ話題にすることになる。本票に向かいあって湧き上がる不安や恐怖は，アセスメント・コンサルテーションを受けるにあたり，避けて通れぬものだろう。

そもそも心理療法とそれに先立つアセスメント・コンサルテーションというものは，不安にさせられる体験なのだ。嘘だと思うなら自分で受けてみるといい。もし微塵も不安を体験しなかったなら，そしてもしただひたすらにすっきりしたりほっこりしたりの嬉しい楽しい体験であったとするなら，そのアセスメント・コンサルテーションや心理療法は，自分の心に触れぬまま，あるいはごく限られた部分だけに触れて終わってしまったのかもしれない。

第4章
Step 2：ご紹介（状）の到着
―― 広義のアセスメント・コンサルテーションの始まり ――

さて，いよいよご紹介（状）を受け取る。
ここからが広義のアセスメント・コンサルテーションの始まりである。

I　ご紹介（状）を受け取る

患者は「ご紹介(状)」を契機として心理療法家の前に現れる。そのご紹介(状)には大別して2種類ある。

- 誰かによるご紹介
- 自分で連絡を取ってくる，つまり自分自身によるご紹介

紹介（状）を送ってくる「誰か」の例。

- A．現在通院中の主治医やソーシャルワーカーなどさまざまな関係者，学校・教育関係者などの各種専門家。
- B．本人の家族（親子や配偶者など），上司，スーパーバイザーなど患者の個人的関係者。

B.は引き受けずA.のみという方針の相談機関もあるだろう。A.にしても特定の経路からに限る場合もあるかもしれない。たとえば，あなたが所属する組織の特定の部門や担当者を経由しなければ，ご紹介を受け付けられない例が

考えられる。誰からの，どんな紹介（状）を，どんなふうに受け付けられるのかは組織ごとに異なるので理解しておくこと。

たとえば先に挙げた困った例（本書 p.56）では，確かに「B. 患者の個人的な関係者」（患者の家族の友人）経由になりうる可能性を秘めているが，この大規模病院で新患を受け付ける通常のルート／手順に沿っていなかった。もしかするとこのまま推し進めるより，心理療法家がいったん紹介者に連絡を取って事情や経緯等詳しく話を聴き，どのように受診してもらうか調整できたらよかったかもしれない。先の例ではいきなり患者が現れてしまい，手の打ちようがなかったことが悲劇の一部を構成していた。

なお，先ほどから「紹介(状)」と記しているのは，必ずしも文書による紹介"状"の形を取らない場合もあるからだ。たとえば組織内の同僚などから口頭で，などカジュアルな形を取ることもあるだろう。必要な情報が含まれている適切な紹介であれば形式は重要ではないかもしれないが，その場合も，自分で決めた形で依頼内容を書き留め記録しておくこと。

この時点で患者について観察できる事柄の例は次のとおり。

- 誰に，どのような経緯で，どのように紹介されたか。
- その紹介の文面そのもの。
- そこに含まれる情報。
- その情報は十分か。不十分なら他にどのような情報が必要か。

短文のご紹介にもさまざまな情報が含まれている。この段階で最低限以下のようなことを把握したい。

- 紹介者について：どんな組織に属するどんな職域のどんな人からの紹介か。紹介者と患者はどのような関係か。
- 患者の現実的状況：名前，性別，年齢，住所，診断名，症状，経過，現時点での投薬の有無，処方内容，身体疾患も含むさまざまな病名など。
- 紹介の意図：なぜあなたに紹介されたのか，紹介者からあなたへのリクエストは何か。

- 患者と紹介者の間にある転移・逆転移を推測できる場合もある。

Ⅱ　ご紹介者とのコミュニケーションとコンサルテーション

　この段階で，明らかに自分もしくは自分の組織でアセスメント・コンサルテーションを引き受けられない事情や，引き受けても患者自身にメリットのある展開が見込めないと判断されるとき，逆に引き受けると患者自身にデメリットが生じる展開が予想されるときは，紹介者と連絡を取り，話し合うこと。
　たとえば以下のような場合について考えてみよう。

　A．明らかに心理療法より優先すべき対応がある。
　　・優先すべき治療（たとえば身体疾患，各種物質等への依存，急性期の精神科疾患など）がある。
　　・優先すべき状況（本人や家族の心身の安全確保，社会福祉的介入など）がある，など。
　B．倫理的観点から，明らかに自分が会うことができない。
　　・自分の親類・近縁・知人・教え子やスーパーバイジー・隣人など個人的関係者である。
　　・治療経緯において特別な個人的事情がある，など。
　C．現実的観点から，明らかに自分が会うことができない。
　　・自分が引き受けられない経路からのご紹介（たとえば専門家からのご紹介以外は引き受けられないのに，本人から直接連絡がきた）。
　　・自分が対応できる時間がもう空いていない，当面空く予定が見込めない，など。
　D．自分自身のアセスメントを踏まえ，明らかに自分の手に余る。
　　・個人的事情や技量上の限界を超えている。
　　・あなたが実施できない治療法を明確に指定されている。
　　・大人の専門家なのに子どもの患者についての依頼である，など。
　E．自分の組織・現場に対するアセスメントを踏まえると，明らかに他組

織の方が患者の役に立つ。
・自分の個人開業オフィスではなく医療機関を勧める場合。
・入院施設のある環境を勧める場合，など。

　この段階ですでに以上の状況が明らかな場合，そのご紹介はお断りすることになるが，その際，単に「お断りします」で終わらせるのはもったいなさすぎる。どのような理由で，どう考えるので引き受けられないか，紹介者に説明する機会として活用すること。どこに，あるいはどのような組織に紹介する方が患者にとって役に立つと考えるか，お勧めの代替案なども併せて説明できると理想的である。そうすることで，この機会を紹介者に対するコンサルテーションとして活用できる。
　状況次第では紹介者と何度もやりとりしたり，直接会って話し合う機会を設けるのも役に立つだろう。このコミュニケーションに丁寧に取り組むことで，最終的に患者にとってより役に立つ治療計画を立て，提供していけることにつながる。この段階で自分が引き受けない判断をすることは，"何の仕事もしなかった"ことを意味しない。むしろ重要な仕事を成したのである（Evans, 2013）。

　　心理療法家 A は，ある精神科クリニックの医師から初めて紹介状を受け取った。
　紹介状の概要をまとめると，次のようなことであった。つまり，この患者は気持ちが落ち込むことと夜眠れないことを主訴に薬物療法をおこなっているところで，最近心理療法目的で相談機関 B を受診したが，うまくいかなかった。ついては心理療法家 A に紹介したい。
　この紹介状は腑に落ちないところが多く，心理療法家 A は医師に電話し，紹介に対する礼を述べたうえ，もう少し詳しい状況を教えてほしいと乞うた。応えて医師が語るには，次のような事情であるという。曰く，この患者は長く通院し薬物療法を続けてきたが，投薬で特段の変化を感じられず，次第に苛立ちを募らせ，医師も対応に困っているところもあった。そんな折，患者が自ら相談機関 B を見つけてきて，"カウンセリング"目的で紹介状を書いてほしい

と希望した。クリニックには心理担当者もいないし，自分もこれ以上長い時間をこの患者の診察に費やすのも難しいという現実的状況があり，それもいい案だろうと思って同意して紹介したが，1回行ったあと激怒して戻ってきて，相談機関Bには二度と行かないと言ったのであった。そこで医師は，では他の相談機関をと思い，今回，インターネット検索でたまたま目にとまった心理療法家Aに連絡を取った。

　医師と心理療法家Aは相談し，いったん心理療法家Aが相談機関Bと話してみることになった。心理療法家Aは，Bにおける担当者が精神分析的バックグラウンドを持つ心理療法家Cであることを把握し，連絡を取ることに成功した。

　AはCに「実は今，この患者が自分のところに紹介されてきているが，どういうことだと私は理解すればよいだろうか」と持ちかけた。するとCは応えて曰く，先般この患者のアセスメント・コンサルテーションに着手したところで，"患者はいろいろな経緯や背景のために誰にも本当に話を聴いてもらった体験がなく，この世に自分の居場所がないことに深く傷つき，腹を立てている"と理解できたという。そこで，そのことについて考えてみる必要があるのではと話したところ，患者は腹を立ててセッション半ばで飛び出していってしまい，そのまま関わりが中断しているというのだ。そういう事情を踏まえるなら，この段階で患者がAに移ってくるより，むしろCのもとに戻って話を再開した方が有用な体験を得られる可能性が大きい，という点でAとCは同意見であった。

　Aは再び医師に連絡を取り，患者とCは患者にとって大事な話の途中であったこと，けれどもその大事な話は患者を不安にさせたのかもしれないこと，この段階でその話を中断しAのところに来るより，Cのもとに戻り，前セッションがどのような体験だったか，二人で丁寧に話し合うことがとても大切だと，医師から患者に話してもらうよう整えた。医師も同意した。心理療法家Aの仕事は，今のところここで終了である。

　紹介（状）を引き受け次の段階に進むかどうか判断するために必要な情報が，どうしても足らないことはさほど珍しくない。そのようなときは，いま挙げた

例のように，紹介者に連絡を取る．紹介に対する礼を述べ，率直に追加情報を乞う．尋ねれば背景の事情や，紹介者が患者に対し抱いている印象，他に患者に関わっている医療関係者等がいるかなど，必要な事柄を可能な範囲で教えてもらえるだろう．

Ⅲ　この段階における転移・逆転移

　集まった情報を手に，改めて考えてみよう．自分は自分の組織においてその患者に会ってみたい，力になりたいと思うだろうか．心を動かされるだろうか．
　そうではない場合，本書 p.75 に列挙した各項目を今いちど振り返り吟味し直してみること．何らかの項目に引っかかっているかもしれない．
　逆にとても会いたい，とても力になりたい，とても心を動かされる場合，それもまたいったん立ち止まり，自分の心に何が生じているか考えてみること．実際患者に会う以前に，すでに逆転移は生じているものだ．
　逆に患者の視点からも同様のことがいえる．実際に心理療法家に会う以前に，すでに転移は生じているものだ．たとえば紹介者とどのような話を経てのご紹介だろうか．先に挙げた困った例（本書 p.56）のように，この心理療法家に会いさえすれば万事問題ない，すべて解決してくれるという転移がすでに形成されている場合もある．この場合厄介な展開が予想されるのはいうまでもない．

Ⅳ　アセスメント・コンサルテーションを引き受ける
　　──狭義のアセスメント・コンサルテーションへ

　ここまで述べた検討を経て，次は，自分が自分の組織の中でアセスメント・コンサルテーションを引き受け，着手する段階に進む．それはまだ，自分が自分の組織の中で心理療法を引き受けることを約束したのではない．引き受けたのはあくまでもアセスメント・コンサルテーションである．その先どうなるかは，この段階ではまだ決まっていないのだ．

1．初回予約を取る

　前項までの検討において何ら問題がなければ，患者と連絡を取り，アセスメント・コンサルテーションの初回セッションのご予約を取る。つまり，何月何日の何時にどこへどのようにして来てもらうか約束を取り付け，必要な段取りを説明し合意に至る。

　これは「日付を決め予約を取る」という単なる事務処理ではない。もっとも「単なる事務処理」など，アセスメント・コンサルテーションのどこにも存在しない。

　患者はあなたからの連絡にどう対応し，予約を取ることにどう取り組むだろう。患者の特徴がよく現れる局面だ。丁寧に観察したい。たとえ電話をかけたり，メールや郵便を送ったりの手続き自体を受付担当者などの専門スタッフに依頼したとしても，あとからどんな様子だったか尋ねたりして情報を得ることはできる。

　　紹介者を通さず，相談機関の公式ウェブサイト経由で自ら連絡を取ってきた患者がいた。幼い頃から苛まされ続けてきた孤独について考えるために心理療法を受けたい，とあった。
　　心理療法家は，アセスメント・コンサルテーションの初回予約を取るためにこの患者にメールを送ろうとしたが，エラーが返ってきてしまう。これが何度か繰り返されたので，心理療法家は患者のメールアドレスを注意深く観察した。すると，アドレスに含まれる英単語のひとつにスペルミスがあって，おそらくこれを訂正したものが正しいアドレスではないかと推測することができた。正しいと予想されるアドレスに，まずは本人確認だけを目的としたメールを送った。はたしてその推測は正しくて，アセスメント・コンサルテーションの初回予約を取るという本来の目的について，話し合う段階に進むことができた。
　　ミスを突き止められたのは幸運なことだった。まったくお手上げだった可能性もある。そうなったとしたら，図らずも，患者が幼少期から抱き続けてきた空想——「自分に関心をむけ，助けに来る者は誰ひとりとしてない」——が現実化されることになっただろう。

この例のように，こちらから連絡を取るのに妙に苦労させられる患者がいる。心理療法を受けることに熱心なように見えていたのに，予約を取りましょうという段階でぱったりと連絡が途絶えてしまう患者もいる。こちらから提示した予約日の案にすんなり同意し，簡単に初回セッション日時が確定する患者もいるし，候補日時を挙げても挙げてもさまざまな理由によって断られ続け，お手上げになってしまう患者もいる。その断り方がやけにあっさりしている患者もいるし，自虐的なまでに謝り倒す患者もいる。返信が非常に速い患者もいるし，逆に非常に遅い患者もいる。

　電話であれば声や話し方がわかるし，手紙であれば筆跡もわかる。メールであっても得られる情報量は意外と多い。たとえば言葉の選び方，その言葉の運び方，独特な言い回し。漢字の多い少ない，改行の入り方，まとっている雰囲気。粘性の高さ，鋭さ，硬さ。メールアドレスそのものからも患者の特徴が垣間見える。ひとつひとつの要素に，現実的・意識的な背景から心的・無意識的な背景まで，多様なものが詰まっている。

　結局連絡が取れずじまいだったり，お互いに都合がつけられる日程を見つけることができず，初回予約が成立しない場合もある。そうなる理由も，現実的・意識的なものから心的・無意識的なものまでさまざまだ。患者の心のあり方や，対象関係の特徴を示していると理解できることもある。もちろん，単純に現実的な理由による可能性もないとはいわないが，患者が自分の心の世界に向かいあう準備が実はまだ整っていないということを示唆している可能性もある。

　こうなったときは，紹介者がいるなら紹介者にこのような経緯を簡潔に説明し，将来また状況が変わるようなことがあったら改めてご紹介いただけるよう頼んで，そのようにしたということを患者にも伝えておく。紹介者がいないなら患者本人に同様の説明をする[*7]。そしてこの段階においては，いったん手を引くしかないだろう。

[*7] このような連絡もまったく届かない場合もある。過剰に押しつけがましくなったり，侵入的で恐ろしい人が迫ってくる体験にならぬよう，ある程度合理的な努力をしたのちは静観し，機が熟すのを待つより他あるまい。

2．予約成立の手紙を紹介者に送る

予約が成立した場合，紹介者がいるならその旨手紙を一本送る。
予約が成立した場合の手紙の例を次に示す。

○○クリニック
○○先生
（住所）　　　　　　　　　　　　　　　　　　○年○月○日
　　　　　　　　　　　　　　　　　　　　　（自分の組織名）
　　　　　　　　　　　　　　　　　　　　　（自分のなまえ）
　　　　　　　　　　　　　　　　　　　　　（組織の住所）

Re：（患者氏名）様（ID，生年月日，住所）

　標記の方について，○年○月○日にご紹介いただきありがとうございました。まずはアセスメント・コンサルテーションという形で，○年○月○日から数回にわたりお会いし，この段階で何らかの心理療法が○○様のお役に立ちそうか，どのような心理療法がもっともお役に立ちそうか検討いたします。
　アセスメント・コンサルテーションが終了いたしました段階で，もう一度ご連絡いたします。
　ご不明な点その他ございましたら，お問い合わせくださいますようお願いいたします。

署名
Cc：（患者氏名）様

この例に見るように，紹介者に手紙を送る場合，筆者はその写しを必ず患者にも同時に送ることにしている。
　予約が成立しなかった場合の手紙の例を次に示す。

　○○クリニック
　○○先生
　(住所)
　　　　　　　　　　　　　　　　　　　　　　　○年○月○日
　　　　　　　　　　　　　　　　　　　　　　　(自分の組織名)
　　　　　　　　　　　　　　　　　　　　　　　(自分のなまえ)
　　　　　　　　　　　　　　　　　　　　　　　(組織の住所)

　Re：(患者氏名)様（ID，生年月日，住所）

　○年○月○日付で上記○○様ご紹介いただきありがとうございました。まずはアセスメント・コンサルテーションという形でお会いしようといたしましたが，○○様と私の二人が一緒に会うことができる日時を見つけ出すことが非常に困難であり，残念ながら今回は先に進むことが難しいという結果になりました。○○様にも，この先に歩を進めて，ご自分の心の世界に足を踏み入れてゆくことへのためらいも，もしかするとあるのかもしれません。
　今回はこのような結果になりましたが，また将来に状況等が変わり，考えてみたいと思うようなことがありましたら，その時にはまたご紹介いただきますようお待ちしております。
　ご不明な点その他ございましたら，お問い合わせくださいますようお願いいたします。

　署名
　Cc：(患者氏名)様

なお，上記の例における「○○様にも，この先に歩を進めて，ご自分の心の世界に足を踏み入れてゆくことへのためらいも，もしかするとあるのかもしれません」は，心理療法家が患者をどう理解したか表明するコメント（ある種の"解釈"）である。このようなコメントは，先に患者本人と話し合ったうえで手紙に記載すること。この手紙を発するまでに，患者本人と話し合うことが不可能なら，このコメントは載せないという判断をするかもしれない。紹介者への手紙の写しによっていきなりこの手のコメントを見せられるのは，傷つくことだ。このようなコメント以外にも，患者にまだ伝えていない新情報を紹介者への手紙に載せないなど，細心の注意を払いたい。
　紹介者と連絡を取りあうのは，情報交換以上の意義がある。丁寧に連絡を取り合って，必要に応じ適切に連携して動ける素地を地道に築きたい。

3．受付質問票の受け渡しと記入

　前 Step ですでに作成した受付質問票を患者に送り，記入してもらい，完成したものを送り返してもらう。その受付質問票を吟味し，咀嚼する。

1）受付質問票の受け渡し

　受け渡しの方法は，自分が安心して安全におこなえる方法を選択する。
　未記入のものはともかく，記入済みのものをメール添付で受け渡しすることはセキュリティ上の問題がある[*8]。未記入のものはメール添付，記入済みのものは郵送，より慎重におこなうなら簡易書留が安心であろう。もっとも近ごろでは郵便事故も少なくないようである。安全な方法についてはいつも考え，探し続けたいものだ。すでに受診中の医療機関などでアセスメント・コンサルテーションをおこなう場合などは，直接受け渡しすることも可能かもしれない。
　受け渡しの順番に関しては，第1回セッションの予約を取ってから受付質問票を渡して記入してもらう方法と，逆に完成された受付質問票を受け取って，目を通してから第1回セッションの予約を取る方法の二種類が考えられる。ど

---

*8　パスワードで保護した文書とパスワードを，それぞれ別々のメールで立て続けに送る，という方法を採っている例を散見するが，セキュリティの観点からさほど有効とはいえまい。

ちらにするかは一長一短。筆者はもともと前者を採用していたが，受付質問票が第1回セッションぎりぎりまで返ってこないこともあり，吟味する時間が十分取れない例が多く，現在は後者に変更した。

2）記入済みの受付質問票の吟味

すでに見たように，受付質問票は情報の宝庫である。一方では，読み始めるとたちまち書き手の怒りや憎しみや悲しさやの強い情緒が立ちのぼってきて，読み手に伝えたいと願ったり，本当に伝わるものだろうかと疑ったりという，その逡巡までありありとわかるような受付質問票があるし，もう一方ではしんと静まり返ったような，何も問題ありませんが何か？　と読み手を突き放すようなものもある。

（1）受付質問票の様子

まず受付質問票そのものの様子をよく観察する。この点については，たとえば臨床心理学を学び，心理検査に詳しい人は馴染みがあることだろう。必要に応じ各種の質問紙心理検査等に関する文献も参考になる。

受付質問票の外観にまつわる代表的な観察点の例としては，次のようなものがある。

- どのように返ってきたか（返ってくる速度，全体的な見た目，それがどのように取り扱われたかの痕跡，その他の特徴）。
- どのくらい記入されているか（非常に少ないものから非常に多いものまで）。
- どう記入されているか（かすれて消え入りそうなものから勢いよくはみ出しそうなもの，自信なく震えたものから箇条書きや矢印で図示されたものまで）。

こうした受付質問票の佇まいは，まだ見ぬ患者の姿を想像させる。

ある人は，用紙を渡すや否やたちまち送り返してきた。記入年月日を見ると，受け取ったその日，あるいは次の日あたりに，まるで返す刀のように記入し，

跳ね返すように戻してきたようだった。筆跡は自ずと，大変勢いがよく，というか，より正確には，まるで殴り書きのように見えた。

　別の人はずいぶん日が経ってもなしのつぶてなので，こちらから連絡して様子を尋ねた。まだ書いていないと言う。そうしたやりとりを何度か繰り返し，結局その人から受付質問票が送り返されてくることはなかった。したがって第1回予約が取られることもないまま保留されている。

　ある人のそれはクリアファイルに入って返ってきた。とても几帳面なきちんとした佇まいで，皺ひとつない。文字も習字の手本のように綺麗にきっちり整っている。

　別の人は何度も書いては消し書いては消しを繰り返し，紙面は黒ずみ，すっかりしわくちゃになっている。さぞ苦労したのだろう。

　ある人のそれは挿入記号や矢印が無数に枝分かれしていて，まるで壮大なフローチャートを見ているようだ。非常に"科学的"な様相さえ醸している。別の人も同じくふんだんな矢印等々によって構成されているが，科学的なフローチャートというより，どちらかというと曼荼羅か何かのような印象を受ける。

　ある人のものには本票に書ききれなかったとして，PCで作成された追加の数ページが添付されていた。それはまるで長文のエッセイのようで，手の上でずっしり重みがあった。患者自身の体験の重みを身体感覚として感じさせられているような気持ち。

（2）記入された内容
書かれたものを繰り返し読み，書いたその人について想いを巡らせてみる。
　書き手は何者だろうか。何にどのように困っているのだろうか。それをどうしたいのだろうか。どのように，どんな人々の間で育ってきた人だろうか。それらをその人はどんなふうに語るだろうか。その人の受付質問票を手に，あな

たは何を想うか。何を感じるか。何をかき立てられるか。それとも，何もかき立てられないか。

　ある人は子ども時代にまつわる項目だけ完全に空白だった。他の項目がそれなりに書き込まれているので，この空白がひときわ目を引いた。子ども時代にぽっかりと広がる，ブラックホールのような虚無。

　別の人はただ一言「幸せな子ども時代でした」とだけ記した。あまりにもそっけなく。あたかも叩きつけるように。それ以上訊くなとでもいうかのように。

　ある人は「気持ちが落ち込んでいる」ことに困っているとのことだったが，それに続けて「詳しくは会ったときに話す。ここに書きたくない」とはっきりした筆跡で書き込んだ。

　ある人は「重要な交際相手について」という項目に「"交際相手"の意味がわからない」と書いた。

　ある人の質問紙からは，まるでその紙面から立ちのぼってくるかのように「読み手に伝えたい」という意志が鮮やかに伝わってきた。

書かれた内容から想像したい主な事柄は以下の通り。

- 患者はどんな人か。
- どのように育ってきたか……両親，きょうだい，その他の人物とどのような関係を持ってきただろうか。存在が消されている人はいないか。
- 患者はどんな問題を抱えていると思っているか。それは紹介状に記載されたものと一致しているか。
- その問題をどうしたいのか……そもそもどうにかしたいのか。それとも特にどうにもしたくはないが，紹介者の指示・期待に従ったのか。
- 患者は心理療法に何を期待しているか……何をどう助けてほしいのか。

そもそも助けがほしいのか。それとも魔法がほしいのか？　あるいはお告げが？　ゴミ箱が？
* 対人関係上の特徴。
* 心のあり方の特徴。
* 想定されるリスク……長く安定的な対象関係の欠如，繰り返される治療からのドロップアウト，社会的孤立，激しい攻撃性の発露，著しい心身の疾患，現在進行形の各種依存，不適切な薬物の利用，繰り返される重症の自傷行為およびそれに類する行為，触法行為，希死念慮，特に具体的な連想を伴う希死念慮，未成年との同居の有無，その未成年への影響，たとえば虐待などについての懸念など。

ここで想像したものはあくまでもこの段階における仮説である。仮説は仮説にすぎなく，セッションで実際に患者に会い，さらに観察し，やりとりしながら検討を重ねる必要があることは言うまでもない。今はただ，自分の心のノートに"仮説"として大事に書き留めておこう。

この段階においても引き続き，自分が引き受けない方が患者の利益になったり，自分が引き受けると患者の不利益になると予想される背景がないか確認すること。紹介（状）の段階で気づけなかったとしても，あるいは紹介者がなく自分で連絡を取ってきたため前の段階を踏めなかったとしても，この段階で新たに気づくことがある。

この段階で引き受けない方がいいと判断する例は，p.75 に列挙したので参照のこと。

3）この段階における転移・逆転移

この段階においても転移・逆転移に注目する。受付質問票のやりとりの経緯や，同票を読んだ体験を踏まえ，自分は患者に関心を抱き，会いたいと思えるか。その程度は自分の普段の状態と比較してどうだろうか。強すぎないか。弱すぎないか。会いたくないと思っていないか。前の段階と比較して変化したか。

ある患者に関する紹介状を受け取ったときから，心理療法家は胸騒ぎがして

いた。その段階ではまだそれはあくまでも"胸騒ぎ"程度のものだったが，患者が記入した受付質問票を繰り返し読む中で，その感覚は次第に強まっていった。
　同票を受け取ったその晩から，心理療法家は悪夢を見るようになった。こんな夢だ。「顔のわからない，影のような何者かが自分の中にどろりと侵入してきて，息ができなくなる」。並ならぬ恐怖で，冷や汗をかいて目を覚ますことが続いた。心理療法家は受付質問票をさらに繰り返し読み，考えに考えて，次第に，この患者は自分の手に余るのではないかと考えるようになって，同僚に意見を聞いてみようと思い至った。

　別の心理療法家は，ある患者の受付質問票を読んだとき，たちまち「この人をなんとか助け出さなければならない」と思った。絶対に，今すぐ！　初回予約日はまだ数週間先だったが，ふと気づくと，電話して今すぐいらっしゃいと言いたいくらいやきもきしている。その様子を見ていた同僚に「ずいぶん前のめりですね。あなたらしくもない」と言われ，心理療法家はハッとした。どうして自分はこんなに冷静さを失っているのだろう？　この患者に自分は一体何を見ているのだろう？

　いちいち読み返さなくても事実関係を思い出せるほど，受付質問票を何度も繰り返し読み，自分の中に患者についてのイメージ（仮）を形作っていくこと。
　このような準備を経ることで「患者についての偏見や先入観を持つことになる」から，事前に余計な情報を持たない方がよいのではないかという意見を耳にすることがある。
　もしもここまでで得たイメージ（仮）が，あくまでも仮説に過ぎないということを見失い，実際にセッションで会ったとき患者の姿を仮説に当てはめようとしかできないなら，それは確かに有害な偏見や先入観になってしまうかもしれない。しかし，仮説は仮説であると認識したうえで患者に会おうとするなら，あらかじめ観察したいところ，注意すべきこと，想定されるリスク，それらに対する必要そうな準備などを検討し，より充実した，そしてより安全なアセスメント・コンサルテーションを実施できる可能性が大きくなるだろう。仮説は仮説として，柔軟な心で，しかし準備万端で，患者を迎えたいものである。

第5章
Step 3：アセスメント・コンサルテーションの本体
──狭義のアセスメント・コンサルテーション──

　我ながら準備万端，十分に準備を整えた。想いも巡らし，この段階までの転移・逆転移も検討し，必要と思える手も打った。事実関係は心にしっかり入っているし，患者のイメージ（仮）もできている。さあ，患者に会おう。狭義のアセスメント・コンサルテーションが始まる。

　狭義のアセスメント・コンサルテーションは，まとめるとこんなふうに進んでいく。

　なるべくいつも同じように調整した環境のもと，患者と心理療法家が出会う。両者が互いにどのように，どのような言葉・情緒・その他諸々を，転移・逆転移のさなかでやりとりし，関係を構築し（あるいは構築せず），それを維持し（維持せず），展開させるのか（展開させないのか）を心理療法家は注意深く観察する。意識的な側面だけでなく無意識的な側面も含め，その意味を理解しようとする。理解したものを，患者が理解可能な言葉を探し出して組み立てて伝え，患者の反応をさらに観察し，さらに理解しようとする。

　次第に心理療法家の心の中に，患者についての"絵"が出来上がってくる。つまり，この患者は一体，何者か。どのような世界に住んでいるか。何に，どういう経緯で，いつから，どのように傷つき苦しんでいるのか。どういう人々の間で育ち，人々とどういう関係を結ぶのか。何を求め，どうしたいと願っているか。

　"絵"は早々に出来上る場合もあるし，なかなか出来上がらない場合もある。このような"絵"を踏まえると，その時点のその患者にとって心理療法が役

89

に立ちそうか，どこで誰とどういう心理療法をおこなうのがもっとも役に立ちそうかが見えてくる。その心理療法を提供した場合に予想されるリスクもわかってくる。さて，予想されるリスクや副作用に対し，予想される利益や効果は十分大きくなりそうだろうか。

諸々踏まえ，よく考えた末，心理療法家が得た理解を，患者に理解できる言葉で伝え共有する。それに基づいたいくつかの治療選択肢を提案する。それは当然，自分以外・自分の組織以外への紹介である可能性もあるし，今は何もしないという可能性も否定しない。

さあ，どのようにしてこれをおこなえるだろうか。

なお，繰り返しになるが，適切に記入された受付質問票をすでに手元に持っている場合，狭義のアセスメント・コンサルテーションの中で，上に述べたプロセスに集中して取り組んでゆくことができる。もし持っていない場合，あるいは重要な情報が不足している場合には，アセスメント・コンサルテーションの中でそれらを集めることが必要である。念のため。

I　初回セッション

まず本項では，特に初回セッションにおいて特徴的な事柄についていくつか述べる。

1．初回セッションの特徴――"未知との遭遇"

初回セッションは未知の者同士が初めて出会う瞬間である。未知の場所。未知の人間同士。

前夜，あなたは眠れただろうか。夢は見たか？　どんな夢？

　　ある患者との初回セッションの前夜，心理療法家は夢を見た。「その人はどうしても言葉が口から出てこないと言い，激しく泣きじゃくっていた。そのことを私に繰り返し謝っては嗚咽した。私はその姿をただ黙って見ているしかなかった」

「突然場面が切り替わり，そこはマンションの一室で，私は誰かに呼ばれて浴室へ入っていった。浴槽にさっきの患者が浸かっていて，剃髪したと言い，確かにその妙にぶよぶよと膨れた頭部は丸坊主であった。患者は左手に剃刀を持ったまま，右手でひらひらと私を手招いた。『来て，来て』……そして近づきかけた私をつかんで浴槽に引きずり込もうとする。逃げろ！　ところが私は足がすくんで動けない」

初回セッションにあたっての不安が如実に滲み出た悪夢だ。今日に至るまでの患者や紹介者とのやりとり，紹介状や受付質問票の情報から，すでにかなり濃厚な逆転移が生まれ，うごめいていることがありありとわかる。

不安と緊張，ことによると恐怖がたまらなく胸をつくことに，我ながら情けなくなるかもしれない。だが初回セッションは怖い。

患者は無事に到着するだろうか。どんな風貌のどんな人だろうか。想像通りか，全然違うのか。自分より小柄なのか，大柄なのか。うんと大きいのか。話ができるだろうか。多少ともわかりあえるだろうか。何か役に立つようなことができるだろうか。すっかり無駄足を踏ませてしまうのか。お互いにお互いを信頼できるか。その人と安全に対話し，無事に家に帰ることができるか。

心理療法家がこんなに不安なのだから，患者の不安がいかばかりか想像に難くない。見知らぬ場所で見知らぬ人に会うだけでも十分不安なのに，それだけではない，精神分析的な考え方なる未知のものをも体験する（それが「精神分析的な考え方」であることさえも知らないかもしれない）。自分が何を考え何を感じているかなんて，生まれてこのかた誰にも話したこともないという人もいるだろう。なんと不安をかき立てられることだろう！

患者もまた，前夜よく眠れなかったり夢を見たりしたかもしれない。いつになくイライラして家族や友人たちと喧嘩したかもしれない。その不安は人によりさまざまな質・強さであって，さまざまな方法で表現されたりされなかったりし，セッションの中で，あるいは外でも，いろいろな出来事が起こる。

ある患者は初回セッション予約日の1週間前にやってきた。予想外のタイミングで予想外の人が現れたので心理療法家は戸惑い，おろおろした。その様

子を見て患者も動揺しパニック状態になったが，運悪く同時間に別の患者との予約があり，正しい日時を告げ直しただけで心理療法家はその場を立ち去った。

さて1週間が過ぎた。初回予約日であるが，患者は現れない。心理療法家は，前週の出来事のため患者は怒っているのでは，あるいはパニック状態がひどく来られないのではと心配で，その日は気もそぞろで過ごした。夜遅く患者から伝言があり，「1日間違えました，予約は次の日だと勘違いしました，間違えてご迷惑をおかけいたしまして大変申し訳ございません，大変失礼いたしました」と言う。

結局新しく予約を設定し直し，ようやく二人は話をすることができた。セッションの中では，本来の初回セッション日が近づくにつれ，いかに患者が不安でたまらなくなったかが語られた。患者は涙が止まらなかった。心理療法家の心も痛んだ。

アセスメント・コンサルテーションはその全期間を通し両者ともども不安にさせられるものだが，出会いの前後は特に不安が高まる瞬間だ。だからこそ，この瞬間にその患者の特徴が図らずも表現される。その段階にはまだわからなくても，アセスメント・コンサルテーションが進むにつれてだんだんと，ああ，あのときのあれはこういう意味だったのかとわかってくることもある。

英国の詩人キーツは，わからないことをわからないまま耐え持ちこたえる能力（Negative Capability）の大切さについて述べた（Keats, 1817）。われわれの任務は特にこの能力が肝要である。その瞬間にはまだ意味がわからなくても，早急に結論づけず，いったん保留して，心の中に密かに持ったあなただけのノートに書き留め，捨てずに大事に温めておく。一時保留で取っておく大切さは，たとえば『エポケ：ポップコーンのひみつ』（うもと他，2002）のような作品を読んでも心に沁みる。

2．到着

あるひとつの現場はいつもおおむね同じ状態にある。セッションルームは地図上の固有の緯度経度に位置し，むやみに動き回ったりしない。あなたは患者にいつも同じ手順で同じ地図を渡し，いつもだいたい同じ言い方で，どういう

道順・手順であなたのもとに来るかを説明する。建物の中で部屋はいつも同じ場所にあり，同じ形状で，どの人をも同じように迎える。それでも患者があなたの前にどのように現れ，どのように部屋に入って来るかはひとりひとりみな違う。興味深いことだ。

基本的にいつも同じようにして迎えるからこそ，自分の心がいつもと違うように反応するとき，それをはっきり認識することが可能になる。基本が定まっているからこそ異変に気づくことができる。

そのクリニックでは，受付を済ませた患者をエレベーターフロアで出迎え，セッションルームまで一緒に移動するのがいつものやり方だった。その日も心理療法家は，筆者の待つ階まで上がってくる患者を待ち受けていた。フロアには他に誰もいなかった。

やがてエレベーターが止まり，中から人がひとり降りてきた。と思うや否や，その人は心理療法家に目もくれず，竜巻のように去って，廊下の曲がり角の向こうに消えた。あれは患者ではなかったのか？ キツネにつままれたような気分で呆然と廊下の空間を眺めていると，その人は引き返してきて，また勢いよく心理療法家の前を通り過ぎ，今度は反対方向に歩き去った。その足取りはあまりに自信と確信に満ち，迷いがなかった。

ところがその人がまた戻ってきたので，心理療法家はついにその人に声をかけた。「あの，もしかすると〇〇さんではないですか？」――はたしてその人は〇〇さん（待っていた当の患者）であった。

セッションが始まり，話をするうち，その人がこれまで誰かに頼り，助けを求めることも，立ち止まってじっくり検討することもなく，ただむやみやたらに突き進み，人生の道に迷って途方に暮れているということが，だんだんと明らかになっていった。

別の患者の例。いつものように受付担当者から連絡があって，患者が予定通り受付を済ませてこちらに向かったということだったので，心理療法家はいつもと同じようにその患者の到着を待ち受けていた。しかし5分経ち，10分経ち――患者が現れる気配はない。建物の構造はさほど複雑でもなく，こんなに

迷うようなものでもない。おかしいと思っているとようやく患者が現れて，なぜか子どもたちのプレイセラピーをおこなう区画に迷い込んでしまい，ここ，大人の患者のための区画にどうしてもたどり着けなかったのだと言う。

　セッションが始まり，話をするうち，この患者は幼かった頃に深く傷ついた体験があり，身体は確かに成長し大人になったけれど，心はまだその傷ついた頃をさまよっている――子どもの世界に迷い込んでしまって大人の世界にどうしてもたどり着けない――ことが明らかになっていった。

　ある患者は予約時間になっても到着しなかった。やりとりした感じや受付質問票の様子からは，ぜひ心理療法を受けたいという意気込みのようなものが伝わってきていたので，心理療法家はいぶかしく思い，事故にでも巻き込まれたかと心配にもなった。しばらくすると連絡がきて「30分ほど遅れそうだ」と言う。はたして患者は40分遅れで到着した。もう残り時間がわずかなので（セッション時間は50分である），急いで部屋に招き入れたが，息を整えるのにややしばらくかかった。結局何ひとつ話せぬままあっさり持ち時間が切れた。

　あたふたと去っていく患者の後ろ姿を見送りながら，心理療法家は，患者にとってここへ来て自分の話をすることには複雑な思いがあるのだろうと思った。一方では自分について話し合いたいのに，もう一方では足が重くてどうしてもここまでたどり着けない。息も絶え絶えな苦しい姿は見せたいが，言葉で語るのは難しい。しかもわれわれ二人には，こうした葛藤について話し合う猶予すら与えられていないようだった。

　ある患者は予定時刻通りに家を出たのに，途中で電車が緊急停車し，しばらく動かなくなった。やっと到着した駅で焦って駆け出すと今度は構内で迷ってしまった。標識を頼りに必死に走り回ったが，大荷物の旅行客の集団に阻まれてなかなか前に進めなかった。地上に出ると今度は信号という信号がすべて赤で足止めされてばかりだった。

　ようやく到着した患者は顔を真っ赤にして苛立ちを隠さなかった。「いつもこうなんですよ！　私が何かしようとするとみなが邪魔ばかりする！　いい加減にしてくださいよ!!」患者の人生の行く手を邪魔ばかりする"みな"にいつ

の間にか心理療法家も含まれ，というよりもむしろ今まさに心理療法家こそが，初回予約に来て助けを求めようとする患者の行く手を邪魔する者として体験されているようだった。患者は心理療法家に怒りを爆発させていた。

3．落ち着くまで

　患者を出迎えて，セッション・ルームに招き入れ，お互い座って向かいあって落ち着く。この一連の流れにも個性が表れる。
　たとえば患者は，部屋の中のどこにどのように我が身を置こうとするだろう。

　ある患者は，部屋に招き入れると何のためらいもなく一直線に，普段心理療法家が座る椅子に向かっていった。「あ，私がそっちへ行きますので，こちらへ」と声をかけると，戻ってきて勢いよく患者用の椅子に腰を下ろした。そのあと「なんか遠いですね」と言ったかと思うと，中腰になって，音を立てて椅子を引きずり，心理療法家に向かってグッと移動してきた。その瞬間，患者がこちらの心身にずるっと入り込んでくるような，迫り来る感じがあって，心理療法家は思わずハッと息を呑んだ。この「ずるっと入り込んでくる」感覚はセッション中続いた。患者はその夜，心理療法家の夢にも入り込んできた。悪夢だった。

　ある患者は部屋の入り口に身を固くして無言で立ち尽くしていた。心理療法家が椅子を指し示すと，ようやくおずおずと歩を進めて椅子の近くまで行ったものの座ろうとしない。「どうぞ」と言うとこわごわといった感じで，椅子の端っこに引っかかるようにちょこんと腰をかけた。そして心理療法家の様子をうかがうようにしている。そのまましばらく時が過ぎて，患者は小さな声で「話してもいいですか？」と言った。ひどく恐ろしい化け物が棲む恐ろしい場所に招き入れられたと感じているのだろうな，この哀れな小さな子は，と心理療法家は思った。実際には患者は心理療法家よりずっと大きな身体であったし，"子"でもないのだが。そして，患者の力になりたいという願いを持ってここにいる自分が，恐ろしい化け物と目されているということに，内心少し傷ついた自分に気づいた。

ある患者はとてもたくさんの荷物を持ってやってきた。椅子に座ると，まず，手に持っていたペットボトル飲料を目の前のテーブルに置いた。次に鞄と，いくつかあった買い物袋を自分の足元をぐるり取り囲むように置いた。そしてコートとマフラーと手袋を外して膝の上に積むと，まるで小さな山のようであった。あたかも患者が要塞を築いて後ろに隠れこんだかのようであり，その要塞を越えて患者に近づいてはならぬというメッセージのように心理療法家には感じられた。

　このような瞬間は第2セッション以降も，さらに心理療法が始まって以降も，個性あふれる場面だが，未知のもの同士が出会う初回予約では特に鮮やかに表現される。

4．口火を切る

　どのように口火は切られるだろう。患者から話し始めるだろうか，それとも？

　ある患者は部屋に足を踏み入れるやいなや，椅子に腰を落ち着けるよりも早く，怒涛のように窮状を訴え始めた。それはまさしく「堰が切って落とされた」というような勢いだった。
　激しい洪水のような言葉の渦にたちまち私は飲み込まれてしまう。患者の心の目には，私というもうひとりの人間の存在が映っていないのだろうか。息をつける余地，考える余地を見つけなければならない，そうでなければ押し流されて溺死してしまう，と私は考えた。いや，もう殺されつつあるのではないか？そのとき私はハッと気づく。患者の訴えには患者の情緒や心の揺れが何も含まれておらず，ただ出来事の延々とした羅列であると。そのことこそに，私の心が殺されかけているのだ。
　そこで私は言った。「○○さん，あなたまるで，あなたについての情報の全部をくまなく私に流し込み引き渡そうとしているみたいですね。そうしたら，あとは私がこっちで解決してくれるとでも信じているようです」。患者はハッとして，口をつぐみ，初めてもうひとりの人間の存在に気づいたとでもいうように，私をまじまじと見つめていった。「あなたは私の面倒を見てくれる係じゃ

ないんですか？」

　質問受付票で患者の背景情報を持っているので，この段階でもっと突っ込んだ具体的な理解に至ることも可能である．これは質問受付票持っていることのメリットのひとつである．

　　ある患者は，とても"厳しい"母に育てられた．母は，子どもであった患者の一挙手一投足に文句を言い，時に怒り狂って手を上げることもあったという．患者は母の顔色を読んで母の期待に添うことで一心に生きてきたが，大学卒業を眼前に抑うつ的になり，投薬を受けたがめぼしい回復がなく，アセスメント・コンサルテーションにやってきた．そのような経緯は受付質問票にとても詳しく記述されていた．
　　初回セッションの冒頭，患者はしばし無言のまま心理療法家を凝視した．そして薄く笑顔を浮かべておもむろに言った．「何か質問してくださいよ．そうしたらお話しできます」．患者は自分の生きる指針をこうして母の顔色を読むことで得たのだろう，同じことをここでも，自分とも行おうとしているのだ，と心理療法家は理解した．そこでこう言った．「私があなたに何をしてほしいと思っているのか，あなたはいま私を読もうとしたけれど，できなかった．それですっかり困ってしまったのでしょうね」．瞬間的に爆発したように患者は鋭く吐き捨てた．「わからないから訊いてるんじゃないですか！　なんなんですか！」その瞬間，自分の心臓がぎゅっと縮むのを心理療法家は感じた．そして思った，これが母親の期待に添い損ねたときに患者がいつも見ていた母親の姿なのだろう，と．

5．アセスメント・コンサルテーションの目的共有

　部屋に入るまでと入ってからしばらくは，上述のような特徴的な瞬間を見逃さないことに注力するが，遅すぎず早すぎない適切なタイミングを見出して，何のために今こうして2人が会っているのか簡潔に述べ，アセスメント・コンサルテーションの目的を改めて明確に共有する．
　具体的にどう述べるかは各自の工夫が求められるが，いつもだいたい同じよ

うな言い方をすることで，単なる事務的なアナウンスとしてではなく，やはり患者の反応における特徴を観察するきっかけとして用いることができる。
　たとえばこんな感じ。

　「私は担当の○○です。今日はあなたに何らかの心理療法がお役に立ちそうかどうか，立てるとするならどんな心理療法を，どこでおこなうのがよさそうか，一緒に丁寧に話し合うためにお会いしています。いま言ったことをするために，私たちはこれからこうして何回かお会いします」
　「今日は50分用意しています」
　「ご紹介状と，それから書いていただいたアンケートも読みました。ですが，どういうわけで今日私のところに来ることになったのか，あなたの言葉で教えていただくのが一番いいと思うんです」

　これは筆者がたどり着いた筆者の言い方である。伝えるべき必要最小限の要素が簡潔に並んでいる。こういうことを言いながら，患者の様子，雰囲気，その変化をつぶさに観察している。
　組織の中で中堅以上のスタッフがアセスメント・コンサルテーションをおこない，結果次第でもう少し経験の浅いスタッフに依頼する場合などは割と頻繁にあるだろう。たとえば大学附属の心理臨床センターなどがそうだろう。このように，もしアセスメント・コンサルテーションと心理療法そのものを異なる治療者が担当する展開を想定するならそれも明確に伝える。
　たとえばこんなふうに。

　「私はアセスメント・コンサルテーションを担当する○○です」

　しかし，すでに述べたように，誰であれこの段階は非常な不安の只中にある。だから，ここで伝えたことのすべてが患者に理解され，なおかつアセスメント・コンサルテーションの期間を通してずっと記憶に残り続けていると決めてかからない方がいい。

6．どのように何を語るか

「ご紹介状と，それから書いていただいたアンケートも拝見いたしました。ですが，どういうわけで今日私のところに来ることになったのか，あなたの言葉で教えていただくのが一番いいと思うんです」という誘いを受け，この先，患者は患者独自のやり方で，何にどう苦しみ，これまでそれをどうしてきたのか，どうしていきたいのか，自分は何者なのか，ここで何を得たいのかなどを語っていくことになる。

紹介状には主訴や，診断名，何が問題でこの紹介に至ったのかなどが紹介者の言葉で記載されていた。それらは紹介者による患者理解であったのに対し，いま患者自身が語るこれらのこと——主訴，もらった診断名，何が問題でここに来るに至ったのか——は，患者自身による患者理解である。紹介者によるものと患者自身によるものはだいたい（あるいはすっかり）一致していることもあるし，あまり（あるいは全然）一致していないこともある。

何がどんなふうにどのくらい一致していないだろう？　そしてそれはなぜか？　この点はアセスメント・コンサルテーションを通して，ぜひ理解に至りたいところである。

同様に，すでに受け取った受付質問票と，いま眼前にいる患者は一致しているだろうか。一致していないなら，何がどんなふうにどのくらい一致していないのか。それはなぜ？

同票に記されている重要な要素がセッション中にまったく触れられない，あるいは記されていないのにセッション中に突然重大な事柄が語られるなどはしょっちゅうある。なぜそのように，書かれた患者と語られた患者に違いが現れるのか。目の前でいま展開している事柄を基盤に，理解できるだろうか。

外側から見える患者の姿と，患者自身が（内側から）認識する患者の姿があまりにもギャップが大きいと，たとえば「誰ひとり自分を理解してくれない」といった孤独，怒り，恨み，あるいは「自分はいつも仮面をかぶり演技をして生きている／外面だけの偽物だ／嘘つきだ」といった惨めさや卑下，逆に仮面の下に隠れた本当の患者を見破れない人々に対する蔑みなどが体験されるだろう。これが継続的に長い間，たとえば生まれてこのかたずっと経験され続ける

と，これが患者の世界観，つまり患者が心の中で自分が住んでいる世界をどう理解しているか，を構築し，色付けていくひとつの要素になる。このような要素は患者ごとにいくつもあって，それらはセッションの中で表現されてゆく。

どのようなわけで患者がその世界観を生きることになったのか，その歴史と物語を理解する手がかりがセッションの中に生々しく現れる。"歴史と物語"というとき，それはたとえば生活史，家族歴，病歴，治療歴等々の事実関係だけを意味しない。逆に，患者の主観的な体験だけも意味しない。その両方だ。

7．夢を聴く

初回セッションの前に見る夢は，アセスメント・コンサルテーションを始めるに際しての不安，期待，空想，今後の展望など，さまざまなものを無意識的に表す。患者が自発的に夢を語ればそれでよし，さもなければ心理療法家側から水を向けておきたいところだ。たとえばこんなふうに。

「最近，夢なんか見ますかね」

このような単純な誘いかけに対して，そういえば前夜これこれの夢を見た，と語り始める患者もいるし，ここのところは見ないが昔から繰り返し見る夢がある，と言い始める患者もいる。あるいは，全然見ないとか，見ても覚えていないという人もいる。

夢に関しては本書 p.110 も参照。

8．転移・逆転移，そして転移解釈

人類の中で，自分ただひとりだけが例外になれると期待するのは非現実的な願望である。だから，患者が人と付き合う中で経験してきた孤独・怒り・恨み・惨めさ・卑下・蔑み等々は，自ずと心理療法家に対しても，今，ここで，まさしくセッションの中で展開する。これが転移である。

転移は出会い頭に自ずと生じる。さらにいうなら，出会う以前にもう生じている。ここまですでに見てきたように，紹介（状）を受け取り，初回予約に至り，受付質問票を完成して受け渡しし，初日を迎え，いざこうして向かいあう

までのそれぞれの段階ですでに生じているのだ。

　転移と一対のものとして，同様に逆転移も生じ，存在する。

　アセスメント・コンサルテーションのセッションの中では，患者と治療者の二人ともが，今，ここで，非常に鮮烈な情緒を伴った転移・逆転移を体験をする。お互いにとってこの体験は，時に非常に壮絶なものになる。やりとりされる転移・逆転移を，理想的には心理療法家がその場で察知し理解することで，患者の世界観と物語を，生の体験に基づいた一次情報として理解することが可能になる。心理療法家はこの体験に飲み込まれ流されてしまうのではなく，互いの間にいま何が起こっているのかを，患者に理解可能な言葉に変換して語りかける。これが転移解釈である（Joseph, 1985; Roth, 2001）。

　転移解釈は，単に小さい頃の何者か（たとえば父母）をあなたに単純に平行移動して，置換して当てはめ，同等さを示すというような機械的手続きのことではない。今，ここで，まさに二人の間で，転移・逆転移の渦の只中で何が起こっているのかを，患者に理解可能な言葉で述べて，知的な上っ面の理解ではなく，心からの共有を図る。その生身の人間による渾身の試みのことである（Heimann, 1956, 1970; Arundale & Bellman, 2011; Bellman & Arundale, 2015）。

　精神分析的心理療法においては，転移解釈が二人の間のやりとりの重要な部分を占める。したがって，アセスメント・コンサルテーションでは，転移解釈を通して患者の心と心理療法家の心がコミュニケート可能かを，体験を通して観察する。その目的を果たすために，アセスメント・コンサルテーション中にも機会をとらえて転移解釈をおこない，それを患者がどう受け止め（あるいは受け止めず），反応するか（しないか），活用するか（しないか），少なくとも考えてみようとするか（それさえしないか）を観察させてもらう。

　患者の視点からいうなら，このようにして，精神分析的な考え方を通して自分の心と人生を見つめるという新しい体験に出会うのである。

　以上，アセスメント・コンサルテーションの中で，特に初回セッションについてまとめて述べた。

Ⅱ 第2セッション以降

次に第2セッション以降において特徴的な事柄についていくつか検討する。

1．第2セッション以降の特徴——"既知との再会"

初回セッションの特徴が"未知との遭遇"であるなら，第2セッション以降の特徴は"既知との再会"である。さて，患者は"既知との再会"をどのように取り扱うだろう。

（本書 p.96 の患者の続き）患者はセッション・ルームに入ってきて座るやいなや話し始めた。「前回に話していたことを考えていたんです。ほら，『あなたは私の面倒を見てくれる係じゃないのか』って話。あなた言ったでしょ，『面倒を見る係としてでなく，共に考えるパートナーとしてここにいる』って。ずっと考えていたんです。私そういえば，誰かを"パートナー"って思ったことはないなって。結婚しているのに，不思議ですよね，どうしてこんなことになっているんだろう……っていうか，"パートナー"って，一体何なんでしょうね」

（本書 p.95 の患者の続き）患者が第2セッションにやってきた。その始まり方は初回セッションのデジャヴュのようだった。相変わらず部屋の入り口に身を固くして無言で立ち尽くしている。心理療法家は若干いぶかしく思いながらも前回同様椅子を指し示すと，患者はおずおずと椅子に歩み寄ったが，やはり座ろうとしない。もう一度仕草で合図を送ると椅子の端っこにこわごわ腰をかけ，心理療法家の様子をうかがっている。そしてややしばらくして小声で言った。「話してもいいですか？」

ここで心理療法家は言った。「○○さん，あなたの様子を見ていると，まるで今日ここに初めて来た人が，初めて出会う恐ろしい人物と向かいあっているみたいに思えますね」

「覚えていないんです。あなたがどんな顔をしていたか。どんな話をしたか。怖くて」と患者は言った。

「そんな恐怖の只中にあって，私はまるで化け物か何かのように見えているんでしょうね。あなたを襲い，取って喰うような。あなたを理解し，助けようとしている人ではなくて」
　患者はため息まじりに言う。「世の中にそんな人いませんよ。私を助けようだなんて，そんな人」
　「あなたにとって，この世界はとても恐ろしい場所なんでしょうね。誰ひとり，あなたの味方はおらず，あなたに襲いかかろうとしている。そういう世界であなたは育ち，生きてきたのですよね」

　上述の第1の例のように，前回話したことを踏まえ，そのことにまつわる自分なりの考えや連想などを語る，もしくは少なくとも好奇心を示すのは，その患者が精神分析的心理療法から何らかの利益を得る可能性を支持するひとつの要素，共に何かを積み上げ，育てていける可能性を示すひとつの要素かもしれない。
　確かに，特に初回セッションは著しい不安場面だから，あまりの不安や緊張のために，話したことが部分的にしか心に留まっていないのはさほど珍しくない。しかし，不安というよりむしろ恐怖といえるほど怯えている患者群では，第2の例のように，セッションが終わって部屋を出て行ったが最後，あなたの顔を思い出せないとか，二人で何を話し合ったのか思い出せないなどの事態になったりする。第2セッションなのに，あたかも再度初回セッションであるかのような印象がこちらに残ることもある。こうした場合，たとえばここに挙げた例のように，その事態そのものを取り上げて述べることで，患者がどのような体験をしているのか理解を深めることが可能になるだろう。このような試みを積み重ねてもなお，不安・緊張・恐怖が変わらず持続するようだと，こうして一対一で向かいあって話すという状況に耐えられない状態の人かもしれないという仮説も浮上する。
　初回セッションが心に留まらない患者群の別の例は，自らの心の状態に触れることに困難を覚える人々だ。自分自身の情緒そのものに耐えられないのかもしれない。

（本書 p.102 の第1例の患者の続き）患者は前回，大量の事実関係を洪水のごとく心理療法家に浴びせ続けた。心理療法家は何度も，語られることそのもの，事実関係を事実関係としてだけ追いかけ理解しようというあり方に押し込まれそうになった。

　語られる分量と速度の凄まじさから，そういうスタンスに流されてしまうのはあまりに容易なことだった。しかしそれでは"感じ，考える人"としての自分が溺死させられることになる。心理療法家はそれこそ文字通り必死になって，眼前で展開されるその事態について語り，患者と共有しようとしていたことをありありと思い出した。その試みの最中に，患者は初めてもうひとりの人間の存在，つまり心理療法家の存在を発見し，ハッとして，「あなたは私の面倒を見てくれる係じゃないんですか？」という，その発言をしたのだった。その瞬間に心理療法家は，自分たちが同じ時空に立って手を取りあう可能性を垣間見たのだった。

　「あなたは前回私という人間を発見した。"パートナー"になりうる存在としての私を。あなたは驚き，好奇心を抱き，私ともう一度話したいと願い，こうして今日，開口一番それを私に伝えてきているのですね」

　「そうなんです」。その時点まで患者と心理療法家は確かに同じ地平に立ち，共にあったと思う。ところがたちまち患者は結婚生活における微細なあれこれについて語り始め，次第に勢いが増し，再び大洪水のようになっていった。こうして，あの同じ地平に立ってお互いがお互いの視野に入った瞬間があえなく，無念にも流れ去ったと心理療法家は痛感した。

　ここに挙げた例では，第2セッションの冒頭においては残っていた初回セッションの経験が，第2セッションの間に流れ去っている。このような変化が，初回セッションと第2セッションの間の待ち時間に起こることもしばしばある。

　このような事態が確かに観察されるとき，それは（アセスメント・コンサルテーションを週1回でおこなっているとするなら）週1回の精神分析的心理療法では頻度が足らない可能性を示唆するひとつの根拠になる。つまり，1週間の間に，いったん得られた情緒的体験が流れ去り消失する。したがって，消失

してしまう以前に次のセッションが生じる必要がある。

2．夢を聴く

初回セッションの前に見る夢が，アセスメント・コンサルテーションを始めるに際しての不安などを表すものであったのに対し，初回以降第2セッションまでに見る夢は，初回セッションの体験がどのようなものであったかを示すものである。

初回セッションの間に，心理療法家は患者の夢に関心がある種類の人間であるというメッセージが患者の心に届いていれば，第2セッションでは夢が語られる可能性がより高くなる。

　患者はくつくつと笑いをこらえながら言った。「そういえば私，子どもの頃に見た夢で，妙に印象的な面白いのがあるんですよ。こないだ先生に会ったあとで思い出しました。それはね，こういうのです。
　『母親にタッチされると，私は味噌汁になってしまう』
　繰り返し見る夢でね。私はいつも必死に逃げ回って，味噌汁にならず人間のままでいられたんです。ところが，小学校の通学路沿いに水路があって，よく友達と一緒にその水路で遊んで帰ったんですけど。あ，それは夢じゃなくて本当です。で，あるときまたその夢を見たんです。私はひとりでいて，その水路を覗き込んだんですよ。危ないよ！って誰かが叫んだ気がしたんですけど，その瞬間に水の中からガバッと手が出てきて，それは母なんですけど，私の両足をつかんで，たちまち私は，ふふふふ，味噌汁になってしまって，水路の水に溶け込んで無くなってしまうんです。ははは，おかしいでしょ？　変な夢」
　私は全然笑えなかった。それは幼き頃の母子関係にまつわる恐怖と囚われ感を示しているのだろうと推測したし，と同時に，長じていま，患者が人と関わりあうということを，どのようにとらえているかを示しているようでもあった。それに加えて，心理療法家に心をタッチされることを患者はとてつもなく恐怖しているし（その瞬間患者が消失してしまう），と同時に患者がタッチすると心理療法家を消失させることができるだろう，という鋭い警告でもあるのだ（「危ないよ！」）。この先の展望の厳しさを思い心理療法家の気持ちが沈んだ

……，と，ハッとして思う。危ない，私がいま，絶望の水路に溶け込んでしまうところだった。

フロイトが語ったように，夢は無意識への王道である（Freud, 1900）。意識し，言葉で語ったもの以上の，語ることができること以上の，あるいはそれとはまた違った体験の側面が夢に漏れ出て表現される。

Ⅲ　無意識の世界を探る

1．無意識の領域への接触

　患者の心の全体は，意識領域にあるもの，無意識領域にあるもの，その中間地帯にあたる前意識領域にあるものから構成されている（Freud, 1915）。これが精神分析的な人間理解の大前提である。患者自身と，患者が現実世界で，つまりセッション・ルームの外で出会う登場人物のほぼ全員は，通常，患者の意識領域か，せいぜい前意識領域くらいまでにあるものに影響された患者の姿だけに注目して暮らしているが，無意識的領域に抑圧された不安，恐怖，願望，欲動，葛藤，情動，その他諸々は，陰に陽に患者のあり方に影響を及ぼし続けている。たとえば患者本人や現実世界の人々が「どうしてこんなことになっているのか／どうして患者がこのようなことをしたのか，わけがわからない」と言うとき，それは「意識的な観点から」わけがわからないということで，無意識的な観点も含めて全体的に考えるなら，なるほどそういうことね，と合点がいったりもするのだ（Kahn, 2002）。
　そうはいっても，意識領域かせいぜい前意識領域くらいまでの心と付き合って幸せに暮らしていけるなら，何の問題もない。そういう状態にある人は心理療法を，特に精神分析的心理療法を求めない。
　しかしなかには，無意識領域に抑圧されたあれこれをそのまま考えずにおくことが難しくなったり，適切な人間関係を築き，維持することに困難を覚えたり，何らかの苦痛や虚しさや迷いや症状を抱え，「もうこのままではいられない」「なんとかしたい」と思うようになる人々がいる。そういう人々が心理療法を，

特に精神分析的心理療法を求め，アセスメント・コンサルテーションにやってくる。したがって，そこで出会う心理療法家は，患者の意識的な主訴や語りなどだけでなく，無意識的なそれらに関心を向け，理解しようと努めることに存在意義がある。

　そもそも不安や願望やその他諸々が，抑圧され無意識領域に追いやられるのにはわけがある。つまり，それらがあまりにも情けなく，格好悪く，恥ずかしく，自己嫌悪をもよおし，社会通念的に許されそうもなく，反倫理的で，いろいろな意味で誤りで，他人にも自分にも受け入れられる見込みがないからだ。いくら自らの意志で，それらをも含めた自分の姿を見つめ考えたいといっても，それは決して容易なことではない。容易でないからこそ，われわれプロの伴走が必要なのだが，しかしその前に，アセスメント・コンサルテーションでは「心理療法を受けたい」という意識的な願いのもう一歩内側にある，本当の，それこそ無意識的な考えにも注意を払いたい。「やってみたいです」「はいはい」と軽々しく突っ込んでいけるものではない。

　本当に患者は，無意識的側面も含めた自分の姿に目を向けたいか。それを理解したいか。好奇心があるか。諸々の準備が整っているか。それとも，親や紹介者や教師や上司や他の誰かに指示されたからか。彼らの期待に添わなければならないという，積年の無意識的願望によるものか。心理療法を受けているきょうだいや同僚が妬ましいからか。心理療法を受けさえすれば魔法のように万事解決する，してほしい，誰かに丸投げしてお任せしてしまいたいという幼な子が抱くような願望か。情けない自分の姿に目を向けるのは怖くて足がすくみ，できることなら逃げ出したいが，そんなに恐ろしいものさえ逃げずに取り組めてしまう自分に自虐的に陶酔したいからか。格好いい研修セミナーの参加証を集めるように，心理療法なるものの参加証も手に入れたいからか。

2．言うは易く行うは難し

　患者の準備が整っていて，心理療法家が患者の無意識領域に真剣な関心を向け続けていると，患者は次第にセッションの中で，心理療法家以外の誰とも話さない話をし，他の誰にも見せない顔を見せるようになる。それは意識的側面よりも無意識的側面が色濃く現れた患者の姿だ。抑圧されているものが多けれ

ば多いほど，抑圧が強ければ強いほど，セッション外における患者の姿と，セッション内における患者の姿の間の差異が広がる時期を通ることになる。

　ある中年の独身男性患者は，大手企業で数十年にわたって情熱的に仕事に取り組み，役職にもついて社会的成功を収めていた。最近，新設された部署の部長として転勤になったのは，栄転とみなされていた。しかし転勤以降，次第に患者は部下たちとうまくいかないと感じるようになり，密かに不眠に悩み，しかし薬物療法に頼りたくないという思いもあって，心理療法を求めアセスメント・コンサルテーションにやってきた。

　頭の回転が速く，論理的思考を好み，好戦的ともいえる患者に，心理療法家は苦戦した。自分が患者に「無能な部下」として見下されバカにされているという屈辱と反発，指示され支配される憤りを中心とした鮮やかな逆転移の中で格闘した。しかしそんな数セッションを経て患者が語ったのは，かつて幼い患者の家で父が独裁者として君臨し，酔って声を荒げ，時に母に暴力を振るい，幼き患者は怯え，布団の中で震えていた記憶であった。その記憶が語られたとき，その光景は二人の間にありありと蘇った。今，心理療法家の眼前で，彼はその怯えた子どもであった。当時の恐怖は生のまま，傷口がパックリ開いているのを心理療法家は感じた。

　大人である患者は今，知らず知らず，そうするつもりはないのに，つまり無意識的に，職場において（職場が患者の世界のすべてであった），時に父親のような暴君として部下を見下し支配し声を荒げ，それでいて時に母親のように攻撃されることに怯え，そしてかつての幼き自分のように，なすすべなく布団の中で震え，眠れずに悪夢にうなされるのであった。このことについて話し合う中で，患者と心理療法家は互いの心がしみじみと触れ合うのを感じ，患者は涙を流した。結局，二人は精神分析的心理療法を始めることで合意した。

　ここに挙げた患者は，部下とうまくいっていないと内心感じ，密かに不眠に悩み苦しんでいたとはいえ，セッション外では成功している部長である。栄転の事実から，周囲の人々も彼の有能な側面を認識しているとわかる。ところがセッション内では最初に独裁者である父的な姿，やがて恐怖に震える無力な子

どもの姿を見せた。この先心理療法が始まると，セッション内で，ある瞬間には無力な子どもに，次の瞬間には暴力的な独裁者である父に，そしてまた別の瞬間には暴力を振るわれ支配される母になって，心理療法家ともども四苦八苦する展開になるだろうと予想できる。

　こうしたセッション内での姿は，セッション外の現実の世界で患者に接する人々にしてみれば予想外のものだろう。さらに心理療法が進むと，無意識的な部分も含む姿の影響がセッションの外にも及び，人々に「患者が変わった」と評される場合もあるし「心理療法によって患者が悪化した」と酷評される場合もある。無意識的な部分も含めた患者全体が，ひとりの人間として成長を遂げ，統合されてゆくためには，避けて通れない過程である。

　たとえば組織の中で，複数の専門家がチームとしてひとりの患者を抱えているとき，心理療法を担当する者とそれ以外の者は患者の異なる側面を見ることになる。そのために専門家間に対立や不信が生まれたり，もともとあったものが表面化したりするのはよくある話だ。たとえ同業者同士でも，つまり心理療法を生業とする者同士，あるいは精神分析的な考え方に基づく心理療法を生業とする者同士でさえも，どの程度患者の無意識の領域を重視し，この領域の理解に迫ろうとするかには少なくない個人差がある。そしてある特定の患者についていうなら，結局のところ，彼の無意識的領域に足を踏み入れているのは患者と心理療法家の二人だけなのだ。

　上記の患者の例でいえば「長年頑張った，成功も収めた。それなのに苦しみや憤りや不安に目を向けるのはおかしい」「前向きに褒めて励まして力になればいい」「どうしてわざわざ心の中やら記憶やら掘り返す必要があるのか。余計なことを」等の声をさまざまな人から聞かされることになるかもしれない。時には患者自身がこれに類したことを口にしさえするだろう。

　精神分析的心理療法家が，困難にもかかわらず，患者の無意識領域も含めた患者の心に患者とともに分け入っていこうとするのはなぜか。それは患者自身が現状の自分の姿に深く苦しみ，なんとかせずにはいられないと心底切望するさまを，心理療法家が目撃したから。自分の心の世界を探究することが，この患者の役に立つところが多いと信じたから。その患者がそのような探究に取り組む準備ができていると理解したから。そして心理療法家自身が，ここで自分

が患者と共に，その探究に取り組むためのリソースを有すると判断したからである。

　無意識的世界と意識的世界を行き来することは，言うは易く行うは難い。困難な患者と1セッション真剣に過ごした直後に，スイッチでも切るように現実世界にすっと戻ってくるなどという器用なことは，少なくとも筆者にはできそうもない。逆に，現実的な処理や対応や手続き等々に忙殺され飛び回る時間を過ごした直後に，セッションが始まるからといってスイッチを切り替えて無意識的世界に没入できるものなのか。それもまた謎である。

3．夢をとおして無意識を聴く

　無意識領域に抑圧した諸々が顔を覗かせる経路がいくつかある。代表的には夢（Freud, 1900）と言い間違い・やり間違いなどのうっかり（Freud, 1901）が挙げられる。だから心理療法家は患者の夢に関心を持つし，セッション中に患者が意図せず口を滑らせたことに含まれている意味にも注意を払う。たとえば図らずも患者がセッションに遅刻したとき心理療法家がそのことを話題にするのは，決して難癖をつけたいからではない（心理療法家側の無意識の中に「難癖をつけたい願望」「自分を粗末に扱った者への憤り」「自分が患者に見捨てられたのではないかという心細さ」等々が含まれていたりするときは，それはまた別の話）。

　アセスメント・コンサルテーションでも，心理療法家は患者の夢に関心がある。すでに述べたように，患者が夢を語ればその意味を考えるし，語られない場合はこちらから尋ねさえする。時おり「尋ねても『夢なんか見ない，見ても覚えていない』と言われてしまいます。どうしましょう」という質問を受けることがある。困る必要はない。そうかなるほど，ではそれは一体どういうわけで？　と考え始めるだけのこと。そしてさらに頻繁に耳にするのは「語られた夢をどう理解したらいいかわからない」という声である。

　ここに，ある患者が見た夢がある。

　「大きなスノードームの中を覗いている。中は液体で満たされている。私はその中を覗こうとする。けれども液体の透明度が低く，中がよく見えない。代

わりに中に入って行こうとするが，ドームのガラスに阻まれて入っていけない。ガラスはかなり薄い」

　いったん本書を横に置いて，想像してみよう。この夢はどんな夢か。何を意味しているか。
　この夢は比較的想像を膨らませやすい。きっといくつかの理解の案を思いついたのではないか。患者が見た夢だ，というヒントもある。
　そんなのわからないよ，情報が少なすぎるもの，という人もいるかもしれない。そう，確かに情報が少なすぎる。その通りだ。夢を理解するために必要不可欠な要素がまったく提示されていない。しかし，セッションの中であなたが夢に出くわしたとき，こういうふうに取り組もうとしてはいないだろうか。つまり，夢，その一点だけを一心に見つめ，まるで虫眼鏡を覗き込むように一心不乱に何らかの意味を抽出しようとしていないだろうか。「夢をどう理解したらいいかわからない」という疑問を口にする人の多くが，このようにしているように思う。

1）夢を理解する

　たとえば大型書店へ行くと夢占いの書籍が多数並んでいる。それらの中では，たとえば「蛇の夢は何々」「空を飛ぶ夢は何々」というように，ある要素に対してひとつないし少数の"意味するもの"が存在すると示唆されている。しかし，そのような夢占いと，夢の精神分析的理解は異なるものだ。
　フロイトは確かに，夢に登場するひとつひとつの要素に注目し，その音韻的類似性なども取り上げ，夢に登場する各要素についてひとつひとつ検討を深めていっている。その伝でいくと，上記の例では「スノードームは何々を意味し，液体が何々，それを覗き込むという行為は云々」というように，ひとつひとつ"分析"したくなるだろう。しかし，夢を理解するためにはその文脈の理解が必要不可欠なのである。文脈，すなわち，誰がどういう状況で見たのか，誰にどういう状況でその夢を語ったのか。そこまで視野を広げなければならないということ。加えて，患者本人がその夢をどう体験し，どう理解し，どう意味づけしているかも重要な見所である。

たとえば上述のスノードームの夢はこのようだった。

　この夢を見た患者は 20 歳手前の女子大学生だ。1 年前に患者とその母は，予想もしていなかった事柄を突然父に告白された。それは父という人間の極めて根本的な事柄に関する重大な告白だった。結果として両親は離婚し，そればかりか母はひとりで国外に転居していった。それ以来，患者は学業が手につかず，成績が悪化し，夢だった大学院進学もかなわなくなるかもしれない。明確な希死念慮はないが，真冬の夜の夜中にひとり，ふらふらと屋外をさまよったり，寝ようとせずいつまでも無為にインターネットを見て回ったりしている。今まで自分がこういう人だと信じ続けてきた身近な人が実は全然違った，今まで自分が現実だと信じ続けてきたものは一体なんだったんだろうという衝撃が，受付質問票に記述されていた。

このような状況の患者が見た夢であることを思えば，たとえば，

【理解1】スノードームは父で，あるいは父の心で，覗き込んでも父の真実の姿がよく見えず，あるいはこういう人間だと信じていたものとはまったく違う姿が見えて，父が砕け散ってしまう・しまったという恐怖を表す夢。
【理解2】両親あるいは3人家族がスノードームで，その真実の姿を覗き込むことでそれが砕け散る。
【理解3】自分のこれまでこうだと信じ生きてきた人生がスノードームで，その真実の姿を覗き込むことでそれが砕け散る。

などと理解することができる。状況がわからなければ，このようなことはわかりようがない。
　患者についてもう少し情報を共有しよう。この夢が心理療法家に語られた流れはこんなふうだった。

　患者は，この，父による告白以降の体験を振り返るとともに，自分が何者かを考えたい，一時的な対処ではなく根本的に考えたいと言い，したがって，他

の方法ではなく精神分析的心理療法を始めたいと希望した。アセスメント・コンサルテーションの開始早々から，自らの心の世界を理解したいと本当に望んでいるということはよく伝わってきたが，それと同時に，そうすることをとても恐れていることも明白だった。

　セッション中ずっと，患者は落ち着きなく自分の長いおさげ髪を握りしめたり，椅子の肘掛けをつかんだりを繰り返し，その両手両肩は震えていた。上述の夢は，そんな初回セッションで語られたものである。

このような文脈において語られた夢であることを思えば，心理療法を始めることにまつわる期待と恐怖を表した夢として理解することもできる。

【理解4】スノードームは患者自身の心の世界で，患者はそれを覗き込みたいと願う。しかしそれは決して簡単なことではない。足を踏み入れようとするがそれもできない。ガラスは，つまり自分の心を守る壁はかなり薄くて，うっかりすると砕け散ってしまう。

あるいは，患者と心理療法家の二人を視野に入れ，このようにも理解できる。

【理解5】スノードームという患者の心の世界に，足を踏み入れてこようとする心理療法家がいる。しかしうっかり入ってこられると，自分はとても脆いので，ガラスが砕け散ってしまう。

【理解6】スノードームという患者の心の世界に，患者と心理療法家が二人で足を踏み入れていこうとする。しかしうっかり入っていくと，自分はとても脆いので，ガラスが砕け散ってしまう。

このように，ひとつの夢は幾通りもの視点から幾通りにも理解できる。その幾通りもの理解の中から，その時点でもっとも喫緊であるものを選び，そのことから話題にしてゆくことになる。

　ある理解が，その時点でもっとも喫緊でありもっとも適切なものであっても，時が経過し，対話が進むにつれ，今度は別の理解がより喫緊でより適したもの

に移り変わることはいくらでもある。そのときは，

「それで，先ほどの夢に戻るんですけどね……」

とか，

「こうしてお話ししていると，ほら，この間のあのスノードームの夢を思い出しますね。つまり……」

のようにして，繰り返し話題にすることになるだろう。

　先に夢が語られた文脈を考慮した理解として挙げた3つの例をもう一度考えてみよう（【理解4】〜【理解6】）。セッションが進み，患者と心理療法家の関係性が変化するにつれ，もしかするともっともぴったりくる理解が上から下へ変化してゆく可能性があるかもしれない。【理解4】では患者が患者の世界にたったひとりきりで存在し恐怖している。まるで父が去り次いで母も去り，自分ただひとり取り残された冬の夜の世界のようだ。患者が心理療法家の存在を心の目にとらえ始めると，【理解5】のように，その世界に心理療法家が現れる。しかしその姿は侵入者，破壊者としてとらえられているようだ。【理解6】に至ったなら，患者と心理療法家が手に手を取って共に協力し，心理療法の仕事に取り組もうとしているように聴こえる。それにしても，うっかりするとその試みが悲劇に終わる気配が残っているのであるが（このような継時的変化については本書 p.133 を参照）。

　このように，夢は患者の世界にまつわる情報の宝庫である。そしてそれを理解するのは複雑なことなのだ。

2）字義通りにとらわれない

　夢を字義通りに受け取り事実関係に沿ってだけ理解しようとする例は，患者のみならず心理療法家にも見られる。

　上述とは別の患者の例を見てみよう。

アセスメント・コンサルテーションの第2セッションで，患者が昨夜見た夢を語っている。
　「私がある人と二人で喫茶店にいるんです。最初普通に話をしていたのに，いつの間にか言いあいになって私が大泣きして，相手の人が店員につまみ出されて出禁になるんです。相手の人は大学時代の元同級生の男性でした。変ですよね。もう何年も会っていないし，そもそも当時もろくに口を利いたことがなかったのに。どうしてその人が出てきたんでしょうね。その喫茶店は実際私が最近気に入っていて，絶対週に1度は行きます。本当に静かで落ち着く場所で，客同士の喧嘩なんかないですよ。なんでそんなところで私がそんな人と喧嘩なんかしてるんですかね，ねえどう思います？」。心理療法家はどう理解したものかわからなくなって，患者の眼前で当惑し硬直してしまった。

　患者は「そういえば似た人を前夜見かけたから」「昨日もその店に行ったから」等現実に沿った発言を続けたり，その同級生がどんな人か，喫茶店がどんな店か説明を始めるかもしれない。しかしこの状況で，心理療法家も一緒になって同級生や喫茶店そのものについて吟味しても，アセスメント・コンサルテーションという観点からはさほど実りはない。それよりもなぜその患者が今その夢を自分に語っているかに想いを馳せ，無意識的な意味をつかもうとすること。そうすれば，たとえばこんなふうに言えるかもしれない。

　「あなたは，先週今週と，"週に1度"のペースでこの"静かな落ち着く場所"へ来ていますね。今あなたは私とこうして穏やかに話をしていますけど，内心，次の瞬間にもあなたと私がひどい口論にでもなって傷つけあって大泣きして，私が，というかむしろあなたがってことなんでしょうけど，出禁になってしまうんじゃないかって，とても恐れているんでしょうね」

　このように理解し，その理解を患者に語りかけることで，今ここで二人の間に忍び寄るいつもの恐怖——つまりどんなに穏やかにしていようとも，結局自分と相手は傷つけあい決裂して終わる——を話し合うところまでたどり着けるだろう。

第5章　Step 3：アセスメント・コンサルテーションの本体

3）夢を聴くように聴く

以上，夢を理解することについて例を挙げつつ述べたが，このことは必ずしも夢だけに当てはまるわけではない。究極的には，セッションの中で語られるひとつひとつを，あたかも夢を聴くように聴くことで，患者について多くを理解することが可能になる。

　アセスメント・コンサルテーションの第2セッション。患者は前回以降今日までの出来事を，一生懸命語っている。職場での上司のやりとりについてだが，業界固有の，あるいは患者が勤める会社固有の手続きや段取りについて語っているので，正直，心理療法家はついていけなさを感じていた。人の名前など固有名詞も大量に出てきて，その何とかさんというのが患者の直属の上司にあたる人なのか何なのかもあやふやである。心理療法家は患者が何を語っているのか理解しよう，語りについていこうと必死になった。

しばしば起こる状況ではないだろうか。このときにも，先に述べた「同級生と喫茶店で口論」の夢同様，なぜその患者が今その夢を自分に語っているかに想いを馳せ，無意識的な意味をつかもうとすること。そうすると，たとえば次のようにコメントすることになるかもしれない。

　「あなたは今，前回から今日までの1週間，私たちが離れていた間の隙間を一生懸命埋めようとしているみたいですね」「そうすることで，この1週間という，私たちが離れ離れだった隙間をなかったことにしようとしているみたいです」

あるいは，

　「あなたは今，前回から今日までの1週間分のあなたの全部を，私に移植して託してしまおうとしているみたいですね」

のように。あるいは別の切り口から，

> 「あなたは，私があなたのことを何もかもわかっていて，この人は誰か，これこれとはどういう意味か，説明しなくても大丈夫と思っているようですね。まるであなたと私は一心同体，みたいな感じで」

のように理解することができるかもしれない。文字通りの意味を追いかけるより，このような耳の傾け方をすることで，患者の心がどのような動き方をするか，はるかに多くを目撃することになるだろう（仙道，2016）。

Ⅳ　プロセス全体を通しての見どころ①
——「モチベーション」「心理療法」の真の意味

　患者を目の前に見逃したくないポイントはあまりにも多岐にわたり，その何もかもを列挙し述べ尽くすことはできそうもない。本書の他の場所で述べた事柄も数多くある。したがってここでは特に重要ないくつかに絞って書いておくことにする。

1．「モチベーション」の真の意味

　確かにモチベーションは不可欠だ。決して楽しい嬉しいばかりではない心理療法の道のりを歩き通すには，患者自身がそうしたいという切実な願い，そうしようという決意なくしては難しい。それは事実である。
　けれどもモチベーションさえあれば万事 OK というような，単純な話ではないだろう。さもなければアセスメント・コンサルテーションどころか，専門家の意見など必要ないということになってしまう。「やりたいですか？」「はい」「ではやりましょう」。
　そもそもその「モチベーション」なるものが本当は何を意味しているのか，その真の意味を，患者と共に考えてみる必要がある。ことによると，患者に心理療法をと願っているのは，実は患者本人ではなく紹介者であるのかもしれない。そのとき患者の真のモチベーションは，「紹介者ないしは家族の期待やリクエストに応えたい」であったりする。その場合，患者と心理療法をはじめることが本当に意義あることなのか？

たとえば主治医が，長い治療経過の中で行き詰まり，患者との付き合い方で道に迷って心理療法に紹介してくることがある。そのような状況においては，患者に心理療法を提供するより，患者の同意を得たうえで，心理療法家が紹介者と連絡を取って，アセスメント・コンサルテーションでの理解をもとに話をした方が，治療の総体をより役に立つものにできる可能性がある（紹介者に対するコンサルテーション）。

　あるいは患者の状況について家族が著しい不安に陥って，患者に心理療法を受けてほしいと願うに至った場合もある。もしかすると，連絡を取ってきた家族が心理療法を求めているようなこともあるかもしれない。それならむしろ心理療法家にとっての"患者"は，その家族の方である，という展開もあるだろう。

2．「心理療法」の真の意味

　本当に患者本人が「心理療法」を求めている，という場合にも，次のことを考えてみよう。

　「その人が求めているのは本当に『心理療法』なのか？」——あまりにも根本的な問いで拍子抜けするが，患者が何のために何を求めてわざわざ心理療法家に会いにきたのか，不問のまま終わる例が散見されるのは由々しき事態である。

　確かに紹介状にも質問受付票にも，いわゆる「主訴」は記述されているが，それはあくまでも意識的なものだし，その主訴にしても，特に言い表しやすいものに限定されて書かれていることもある。アセスメント・コンサルテーションにおいては，実際患者本人が語る言葉に丁寧に耳を傾け，語られない言葉も慎重に検討し，患者が求めているものは本当には何なのか，本当に「心理療法」なのかどうかよく考え，患者自身と話し合い，理解を深める手間を惜しまないこと。

　「心理療法」について患者が想像しているものと，われわれが提供できるものの間に，大きな隔たりがある場合も多い。たとえば患者が「誰かに話を聴いてもらって，帰り道にはすっきりすること」「即効性のあるアドバイスを得て事態を短期的に改善すること」などをイメージしている例はとても多い。

　確かにそのようなサービスを標榜している場所はあるだろう。しかしそれは，

少なくとも筆者が専門とするような，精神分析的心理療法で得られるものではないように思う。精神分析的心理療法で得られるのは，自分についての真実を見，理解すること。それは必ずしも，帰り道にすっきりしたり，何かに対して即効性があったり，事態が短期的に改善するものではない。むしろ己の姿にがっくりしたり，さまざまな情緒がこみ上げいろいろな想いがかき立てられたりするし，その果てにだんだんと自らに関する理解が深まったり，自分の心の世界の鮮やかさが増したり，ゆっくりと心が成長し成熟していったりするようなものだ。I never promised you a rose garden――私は薔薇の園を約束したのではない（Green, 1964）。

　つべこべ言わず欲しいと言われたものを柔軟に提供せよ，それがサービス業の本質であるというような指摘があることも認識しているが，ひとりの人間ができることに限度があるのは，すでに述べた通りである。自分ひとりで何でもかんでも引き受けて，誰も彼もを抱え込むのは，患者にとって本当に有益なことだろうか。それよりも，求められているものと提供可能なものの間の一致度を確認し，隔たりを理解し，適切な判断をする方がよほど建設的ではないだろうか。カレー屋でラーメンは出せないし，仮に出せたとしても，ラーメンはラーメン屋に頼んだ方がずっとよい。

　アセスメント・コンサルテーションには，心理療法家が自分の組織で提供可能な心理療法とはどのようなものか，実際に体験してもらうという側面もある。あなたの「心理療法」が事実関係のQ&Aに終始するものでないのなら，アセスメント・コンサルテーションもまた，事実関係のQ&Aに終始するものではない。あなたの「心理療法」が具体的アドバイスをする場でないのなら，アセスメント・コンサルテーションもまた，具体的アドバイスをする場ではない。もしあなたの心理療法において，患者が心の内に隠し持っていた痛みや諸々の情緒に触れたり，心理療法家と心が触れ合ったりという体験をすることになるのなら，アセスメント・コンサルテーションにおいても患者はそのような体験をするだろう。

　人が情緒や記憶を無意識領域に抑圧したり否認したりしたりするのは，それなりの理由と経緯がある。たとえ自分を理解するために必要であろうとも，そのようなものに触れるのは苦しく心が痛むものだ。決して「さっぱり」したり

「すっきり」したりするようなスイートなものではない。あえてそのような体験に足を踏み入れたいかどうか，そしてその体験に共に足を踏み入れるパートナーとしてあなたを選びたいかどうかは，究極的には患者が決めることだ。つまりアセスメント・コンサルテーションは，決して心理療法家が患者をアセスメントする一方通行の営みではない。患者が心理療法家をアセスメントする機会でもある。

V　プロセス全体を通しての見どころ②——5つの観点

　ある患者に対し本当に心理療法が役に立ちそうかどうか，どんな心理療法をどこで誰がおこなうのがもっとも役に立ちそうか判断しようとすることは，言うは易く行うは難しで，そう簡単なことではない。けれどもなるべくいろいろな情報を読み取って，できるだけ適切に判断するための努力を続けたいところである。

　その患者が心理療法を活用し，何らかの利益を得ることができそうかどうかを考えるためには，①患者と対象との関わり，②患者自身の心の世界との関わり，③心的発達段階，という3つの観点が重要である（仙道，2017a）。この3つの観点がx，y，z軸のように三次元空間を構成していると想像したとき，その三次元空間の中を患者は長期的に，と同時に微細に移動し続けている。この移動の様子が第4の観点である。

　つまり，アセスメント・コンサルテーションにおいて治療者は，あたかも心理的な三次元空間を，長期的に，と同時に微細に，移動し続ける患者を眼前に目撃しているようなものだ。そしてもうひとつ，このように移動し続ける状態の患者に心理療法家が働きかけたとき，患者がどのように反応するか。あるいは，しないか。これが第5の観点である。以上を便宜的に図3に示した。

　これら5つの観点はアセスメント・コンサルテーションに限らず，心理療法そのものが始まったあとにも大切な観点であり続けるので，ぜひこの機会に考えてみよう。それは語る分量の多寡など，単一の単純な事柄からわかるようなものではない。

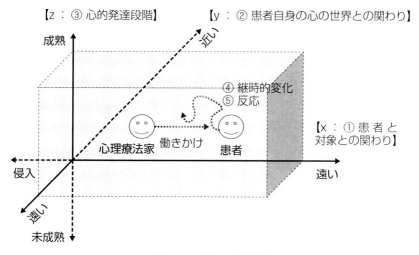

図3　心理的三次元空間

1．患者と対象との関わり

　セッション・ルームの中に二人の人間がいる。患者と心理療法家だ。通常，セッション・ルーム内の家具の配置は大幅に変更されないし，二人はおのおのの椅子に着席している。したがって，二者間の物理的な距離は患者ごとに，そしてセッション中を通しておおむね一定である。それにもかかわらず，心理的な距離に目を向けたとき，その距離は人によりかなり異なり，そして変化する。

　たとえ二人が同じ空間に座り，向かいあっていても，心の距離がとても遠い場合，情緒交流は起こらないか，あるいは極端に淡かったり，瞬間的であったりする。

　　患者は，人と付き合うことがどうしても難しく，たとえ趣味の集まりなどでもお腹を下してしまうなどの身体症状が生じたり，他のメンバーと口論になったりして，趣味の楽しさが台無しになってしまうと言って，心理療法を求め，アセスメント・コンサルテーションにやってきた。

　　あるセッションで患者は，セッション前夜に見たという夢を語り始めた。患者が客船に乗って海を渡ってゆく，という夢。患者は絵を描くことが趣味で，

その詳細な夢の語りは，あたかも言葉で風景を丁寧に描写しているような風情があった。心理療法家は耳を傾けていた。いま患者はその船内のディテールを述べている。
　患者の語りを一心に追いかけるうち，心理療法家の心に徐々にある感覚が芽生えてきていた。それは，"患者が自分に向かって話しかけていない"というものだ。確かに二人は向かいあっている。しかしまるで患者の眼前に巨大なキャンバスがあって，患者はそのキャンバスにひとりで向かい，それと対話しているようだ，と思った。キャンバスは厳然とそびえ立って，二人をはっきりと隔てていた。
　患者は語り続けている。「それで，私はその船室に座って，丸い船窓越しに外を見ているんです。夕暮れ時で，空の色がゆっくり変わっていくんです。青から赤みを帯びていって，そしてだんだんそれが暗くなっていって，……」
　心理療法家は言った。「あの，○○さん，それはまるであなたがあなたの世界を見ている，その姿のようですね」。患者は一瞬ハッと口をつぐみ，語りを止めたかに見えたが，またすぐに，止まったところから語りを再開した——まるで心理療法家の言葉を，というか存在を，無視しようと一瞬のうちに判断したかのように——「その移り変わる空を見ているとね，本当に綺麗で，ああ私は早くこの光景を描きたいと思ってね……」

　上の例では，第一に，患者が夢を語る様子から，心理療法家が二人の間の隔絶に気づいている。このような気づきは，まず心理療法家が自らの逆転移をリアルタイムで把握するところから形作られてゆくものだ。このような状況で，心理療法家が感じる逆転移の他の例は「まるで自分が存在しないかのように取り扱われている」「自分の出る幕がない」「ただ患者が言葉を語っている姿を見物させられているかのようだ」「あたかも餌か（ひどいときには）ゴミでも投げつけられるように，一方的に何かを浴びせかけられているだけだ」「コメントを挟む一瞬の隙も見つからない」などがあるかもしれない。
　第二に，夢で語られていることそのものが図らずも，外の世界から隔絶され自分の船室にひとりこもる患者のありようを示している。窓越しに外の世界を"綺麗"と傍観するが，外の世界へ歩み出て，あるいは外の世界を招き入れて

関わりあう可能性が示されていないようだ。外の世界と船室の間には，分厚い舟窓と広大な海が存在しているし，そもそもその綺麗な外の世界にも，ディテールに満ちた船内にも，もちろん船室の中にも，彼女以外の人物が登場しない。まるで人間が，対象が，存在していないかのように。

第三に，そのことについて患者に語りかけようという心理療法家の試みがどのように取り扱われたか。患者が一瞬口をつぐんだのは，もうひとりの人間に何か言われたと物理的に認識した事実を示すだろうが，患者はたちまち"他者を，対象を，自分の船室に招き入れない"という判断を下し，何か言われた時点まで自分がおこなっていたこと（夢を語る）を，そのまま再開し遂行した。この第三の観察は，第一，第二として前述した心理療法家の理解を裏付けるものだ。このようにして，この患者と心理療法家の間の心理的な距離はとても遠いと理解できる。

逆に，この距離が非常に近い場合もある。近いどころか，患者が心理療法家に（心理的に）覆い被さり入り込んでくる，つまり距離がマイナスになる場合さえある。

　別のある患者がアセスメント・コンサルテーションの第1セッションに入ってきた。患者は，座るや否や，これまでどんな症状でどこのクリニックでどんな治療を受けてきたか語り始めた。その声は大きく，明瞭で，勢いがあった。"この人の話はわかりやすい"と悠長に構えていた心理療法家が，"苦しい"と感じ始めるまで，ものの数分もかからなかった。
　患者の両目はひたと心理療法家を凝視し続けていた，何ひとつ見逃すまいとするように。心理療法家は自分がまるで昆虫標本にされ，虫ピンで——患者の強い視線という虫ピンで——がっちり固定されてしまったように感じた。無力な，されるがままの標本である自分に，患者の目が，はっきりした黒いアイラインでぐるり取り囲まれた目が，強く強く，まるでクローズアップのようにグッと迫ってくる。苦しい苦しい……，その身動きすら取れない自分の中に，患者の言葉群が，洪水のように流れ込んでくるのだった。このままでは溺れ死んでしまうと心理療法家は思い，頭と心をフル回転させた。

第5章　Step 3：アセスメント・コンサルテーションの本体　123

このように，患者が対象と関わるうえでの特徴を観察したが，どのようなわけでこうした事態に至っているのかを理解するための手がかりは，その患者がここまで生きてきた歴史の中にある。どのような経緯で生まれ育ち，どのような人々と，どのような対象関係を体験してきたのか。その歴史を通じて積み上げてきたものは，自ずと無意識的にいま眼前にいる対象，すなわち心理療法家とも繰り返されている。その繰り返されるさまを，われわれはアセスメント・コンサルテーションの中で，我が身と我が心をもって体験することになるのだ。

2．患者自身の心の世界との関わり

　患者の語りと患者自身の心の世界が，そして患者の語りと患者自身の情緒が結びついているかどうかは，患者ごとの違いがよく現れる特徴のひとつだ。
　たとえば患者の語る様子から，鮮烈な情緒がまざまざと伝わってくるさまを心理療法家はしばしば体験するものだ。アセスメント・コンサルテーションの中で今まさに患者が味わっている不安や恐怖。自分をそのような目に遭わせる者（もちろん心理療法家も含む）の非情さ，意地悪さに対する怒り。心理療法を手に入れて，今度こそなんとかしたいという期待。なんとかしてほしいとすがるような思い。こうしたさまざまな情緒は，語られる内容だけでなく，転移・逆転移を通して，ありありと伝わってくる。あまりの鮮やかさに，心理療法家の側が怖気づき，無意識に遠ざけようとでもしない限り，このようなはっきりした情緒コミュニケーションを心理療法家が受け取り損ね，理解し損ねることはそうそうない。
　しかし，それとは逆に，患者が自分の心の世界からとても遠く，自分自身の情緒的なものに近づくことが難しいという例にもしばしば出会う。このようなとき，心理療法家はさまざまな苦戦を強いられる。

　　ある患者の語りからは情緒的な要素が完全に欠落していた。まるで営業日誌を読み上げるような，事実関係が連綿と続く患者の語りに耳を傾けていると，心理療法家は自分の心も硬いコンクリートに変わっていってしまうような感覚を覚えた。心理療法家はそのありようについて患者に語りかけ，理解を共有しようと試みた。

このように，患者の情緒なき世界において自分の心が，ひいては自分が，無生物化され殺されていってしまうような体験は珍しくない。このようなとき，心理療法家は転移解釈を用い，考え感じる心を有する人として生き返ってこようと試みるだろう。それは，今ここで二人の間で何が起こっているのか患者に語りかけ，この出来事の意味に患者の好奇心を喚起し，共に考えようとする試みだ。

　（続き）「あなたはまるで，心を動かし何かを感じると大変なことが起こる，とでも思っているようですね。今こうして私に話しかける，その中からも注意深く，あなたの心が，それから私の心も，動いてしまう要素を取り除いていっている」。心理療法家がそう言い終わる前に患者は，おもむろに鞄の中からペットボトル飲料を取り出して胸の前に抱え目をつぶった。まるで心理療法家の言葉が自分の耳に，さらにその奥の心に，入り込んでくるのを拒みシャッターを下ろしてしまったかのように。その様子を心理療法家に見せつけるように。

　患者のこのような状態には意味がある。それは，生まれてこのかたのさまざまな背景や経緯，つまり誰とどのように生きてきたのかの歴史に基づいて出来上がっている意味だ。すなわち，どういう体験を積み上げ，そのため自分を取り囲むこの世界をどう理解しているのか。それが今，ここで自ずと展開し表現されている。前項同様，今ここで心理療法家が我が身と我が心をもってまさに体験していることと，情報として持っている事実関係を考え合わせ，なぜいま患者がこのような状態になっているのか，その意味の理解を目指したい。

　（続き）この患者が心理療法を求めた直接のきっかけは，あるトラウマティックな事件であるということは，初回セッションまでのやりとりや受付質問票などによって，すでに明らかになっていた。それは，ある朝突然，複数の警察官がやって来て，家宅捜査の末，夫を連行していったというものだった。その出来事は患者にとって晴天の霹靂，寝耳に水だった。
　そのとき患者は一体どれほどの恐怖と不安を味わったことだろう。心理療法家は，その恐ろしい朝，リビングでひとり小さく縮まっている患者の姿をいま

目の前に見ているように思え，患者にこう語りかけた。「あのときの恐ろしい出来事が，今もあなたのあり方に影響を及ぼしていますね。今ここで私と一緒にいるときにも，私に突然侵入され家宅捜索されないよう，自分の中の大事な何かを連行されないよう，硬くシャッターを下ろしているようです」。すると患者は，確かに自分は心理療法を受けたいと思ってここに来たが，それは別にその事件のことではなく，むしろそのことは話したくない，それより，子どもの頃からずっと難しかった母との関係について考え直してみたい，と言った。

心理療法を求めた直接のきっかけのような，比較的近距離の経緯同様，たとえば子どもの頃の記憶のように，もっと遠距離の経緯も大きな影響力を持つ。

（続き）患者はボツボツと幼い頃の様子を語り始めた。
　小さな地方の町で，ある伝統的な宗教を深く信仰する両親のもと，兄二人を持つ末子として育てられた。町の人々の心に根深く残る昔からの考え方と，その伝統宗教の教えのどちらもが「女性には教育は不要，家の中で両親に従い，家事を通し男性に仕えるべき」と主張していた。だから両親はおろか教師や他の誰にも，自分の考えを述べることも許されず，子どもらしい自由な日々もなく，義務教育の学校から帰るなり，炊事や裁縫に黙々と取り組むしかなかった。のびのび育てられる兄二人を羨んだが，そうした妬ましさ，悔しさ，怒りなどはすべて心の内に隠した。次第に情緒が揺れ動かない硬いコンクリートの心が形作られていったのも無理もない話だと心理療法家は思い，同性同士，悲しみを禁じ得なかった。
　虐待されて育ったわけではない。古い考えが未だ固く張り付いたままの小さな集落だったのだ。その集落に生まれたことは患者にとって不運なことだった。
　しかし，そうはいっても現代社会に生きる子どもである。患者には患者の夢と希望があった。そのひとつが都会の大学へ行くことだった。患者は，親の敷いた伝統的なレールに乗る形で地元でいったん就職したが，こつこつお金を貯め，紆余曲折を経てとうとうその夢を手に入れた——それなのに，在学中に抑うつ的になり，講義にも出られなくなってしまったのだった。そのとき学生相談室で初めてカウンセリングを受けた，と患者は言った。

幼い頃から，自分の心の世界につながって，素直にのびのび情緒を表現し，誰かに伝えるなど，この患者には許されてこなかったのだ。それならいっそ，自分の心の動きのひとつひとつをはっきり認識しないようにした方が，傷つかずに済んだのだろう。そのようにして，いま眼前でバリアを張りシャッターを下ろす患者の姿に至っただろうこと，このバリアを超えシャッターを破って入り込んでくる者は恐怖をもたらす者として経験されるだろうことを，心理療法家は理解した。この状態に，患者曰く「子どもの頃からずっと難しかった母との関係」が重ねて影を落としているのだが，それがどのような影であるかはまた別のお話であって，固くシャッターに阻まれ，それがこの段階で語られることはなかった。

3．心的発達段階

実年齢にもかかわらず，その患者は今，心の世界ではどのくらいの年齢だろう。つまり，心的発達段階におけるどの地点にいるだろう。大人の患者に会うときに大切な観点だ（仙道，2017b）。

患者はそれぞれの問題や苦しみを抱えてわれわれの前に現れる。その問題が形作られたとき患者が位置していた心的発達段階における地点が固着点となり，患者の心がその地点における状態にずっと留まっていたり，不安が高まる困難な状況などに陥るとたちどころにその地点に戻ることが，しばしば観察される。

「心的発達段階」は，人の心が成長・成熟してゆく過程について，段階ごとにその特徴などを描写した理論を指し，多くの臨床家がさまざまな理論を示している。精神分析学的な考え方においては，たとえばフロイトによる「精神－性的発達理論」（Freud, 1905），クラインの「妄想・分裂ポジション－抑うつポジション論」（Klein, 1935; 1940; 1946），ウィニコットの母子関係の中における発達（Winnicott, 1958），ビオンの思考過程の発達（Bion, 1962），シーガルの象徴機能の獲得（Segal, 1950; 1957）等も参照しつつ，心の中で推し量ってゆく（Hobson, 2002）。

大人の患者のアセスメント・コンサルテーションにおいて，心的発達の観点が担う役割のうち，代表的なものを以下に挙げる。

１）心理療法の展開における困難さを推測する役割

　一般的に，患者は心理療法に入ると，患者と心理療法家が互いに心の世界に触れ合っていればいるほど，すなわち心理療法が心理療法として機能していればいるほど，この時点までの困難のピーク状態に戻る（退行する）（Milton, 1997）。心理的ブレイクダウンがあった患者はその状態まで退行する可能性があり，対人関係上の激しい衝突をした患者はセッション内外で激しい衝突をする可能性がある。ピーク状態に退行するありようや，ピーク状態でどうなるかを推測するヒントは，ひとつには生育歴や病歴，治療歴など事実関係から推測され，もうひとつには心的発達段階の観点から推測される。
　たとえば，

　　患者は怯えた表情でセッション・ルームに入ってきた。椅子に浅く腰かけ体を硬くし視線を床に落としてしばらく黙っていた。

このように初回セッションが幕を開けた。患者が不安の只中にいるのは明白だが，それはどんな不安だろう。もう少し観察してみよう。

　【展開A】突如患者は顔を上げたが，その目は怒りを宿していて，いきなり大声で怒鳴り始めた。「どういうことなんですか！　普通こういうところに来たらあなたの方から私にわかりやすく何か質問するもんなんじゃないですか！　失礼だな！　どうなってるんだ！　バカにしているのか！」

　【展開B】患者は言った。「あなたはこうして時間を取ってくれましたけど，私がうまく話ができないせいで，この時間を無駄にしてしまうだろうと思うんです。あなたの好意も無駄にしてしまいますね。私の主治医も，私をここに紹介してくれて，いつもそうやって私を心配してくれるのに，結局その気持ちも全部踏みにじってしまうんです」。患者はシクシクと泣き始める。「私はいつもみんなの気持ちをそうやって踏みにじってきました。今度こそ私に愛想をつかす，今度こそつかすと怯えて生きてきたんです。なぜかまだみんないてくれるんですけど，私，自分が嫌で嫌で，私，自分をどうしたらいいのかわからなく

て。怖いんです」

　展開Aをたどった患者は，心理療法家をひとりの全体的な人間としてとらえていないかもしれない。実際の心理療法家は，怯える患者の様子を目の当たりに，患者が今どのような体験をしているのかから，語り始められるよう何らかの助け舟が必要かまで，一生懸命考えを巡らしつつ絶大な関心を寄せていたのだが，そうした姿は患者にまったく見えていないようで，異なった意味づけがなされた。患者は心理療法家を，自分が想定するある種のもてなしのような処遇を提供する"機能"としてとらえ，それが満たされる限りにおいて「良い対象」として認識しただろうが，ここでは満たされなかったので「悪い対象」として認識した。良さの欠落，すなわち悪である。そして心理療法家を"迫害者"，"攻撃者"として体験した。そんな心理療法家に対する怒りを急速にエスカレートさせ，心理療法家を猛烈に罵倒し，攻撃している。この状態は，妄想分裂ポジション[*9]にある人の心の世界の特徴である。すなわち，人生のごく早期の段階に相当する心の状態に留まっている患者が体験する不安の質，その表現の例である。

　出会い頭に展開したように，患者と心理療法家の二人の関係は，善か悪か，攻撃するかされるか，侵略するかされるかのドラマチックな展開になり，激怒や罵倒がセッションを満たし，お互いにとって緊張感の高い油断も隙もない難しいセッションが予想される妄想分裂ポジション的世界に，爆発するように瞬間的に突入するだろう。そのとき患者が心理療法家に攻撃されたと感じる度合いは相当なものだろうし，ひいては患者が心理療法家を攻撃してかかる勢いも相当なものだ。

　こうした被攻撃への反撃としての瞬間的爆発的攻撃は患者の人間関係一般に

[*9] 妄想分裂ポジション（Paranoid-Schizoid Position）および抑うつポジション（Depressive Position）は，クラインが提唱した心的発達に関する理論のひとつである（Klein, 1935, 1940, 1946）。人の心は人生の早期においては前者のポジション，発達に伴なって後者のポジションへ移り変わり，以降，両ポジション間をゆきつ戻りつするが，本項の記述のように，いずれのポジションの特徴が優位かにより，患者の心的発達段階における位置が推測できる。この両ポジションの間のゆきつ戻りつも，長期的であったり，瞬間的であったりする。

支障を来し，困難のピークを作り出してきただろう。すでに何人かの人がこの激しい攻撃のもと，心理的に滅亡させられたかもしれない。アセスメント・コンサルテーションおよび心理療法において，心理療法家が患者のこの攻撃を生き延びることができなかったなら，患者と対象の間で繰り返されてきた悲劇の例がひとつ追加されてしまう。このような患者との心理療法は容易なものになりようがない。このような患者を長期間抱え切るには，心理療法家側にも相応の体力・気力・忍耐力等々が要求される。この展開をたどる患者は，経験を積んだ心理療法家が，適切な環境において心理療法を担当するのがよい。

　展開Bは様相が異なる。実際の心理療法家のあり方は同じでも，患者が心理療法家を認識する様子はずいぶん異なるようだ。たとえば初回セッションに戸惑い不安に陥る中でも，"自分のために時間を取ってくれ，心配してくれる人"としての心理療法家も体験されている。患者は"にもかかわらず心理療法家を失望させ傷つける"こと，もうすでに"失望させ傷つけてしまった"だろうこと，その結果，心理療法家に"愛想をつかされ見放される"だろうことを恐れている。この状態は，抑うつポジションにある人が体験する不安の質，その表現の例で，展開Aの患者より少し成長した心の状態といえる。心理療法家は，この状態の患者を抱えるにも展開Aの患者とはまた別種の心の痛み，たとえば患者が自らを見つめたとき噛みしめる哀しさや痛恨の後悔など，を生き抜く必要があるが，Aとのものより落ち着いて心理療法に取り組んでいけるかもしれない。比較的経験が浅い心理療法家は，願わくは，心的発達段階において，少なくともこの段階にいる患者との仕事から始められたなら理想的だ。

2）適切な心理療法の種類を推測するための役割

　赤ん坊は，はじめから自分の心身の内部に知覚する不快感を詳細に理解し分け，その根源を把握できるわけではない。大泣きする赤ん坊の様子を，そばにいる母もしくは母相当の（母的役割を取る）人が，観察し，理解し，適切な言葉に翻訳し，赤ん坊に伝え返す試行錯誤をおこなう。赤ん坊にとって，母もしくは母相当の人と，このようなやりとりを繰り返し積み重ねてゆくことは非常に大きな意味を持つ。この体験を通し，徐々に赤ん坊は自分の内部にある情緒を理解するようになる。たとえば，これは空腹である。これは怒りである。こ

れは恨みである。これは妬ましさである。悲しみである。後悔。寂しさ。哀しみ。侘しさ。切なさ。内部の漠然とした感覚を，最初は単純なものから次第により複雑なものまでつぶさに把握し，適切な名前を与え，他者とコミュニケートすることは，象徴的言語を得ることで初めて可能になる。象徴的言語は，情緒的体験を他者とコミュニケートするための道具としての言語である。象徴的言語を得ることは，心的発達における大きな通過地点である（Segal, 1950, 1957）。

　アセスメント・コンサルテーションに訪れる大人の患者の多くは，言語を用いることは可能だ。しかし，日常生活を妨げるような顕著な問題がない者の中にも，この地点以前に留まっていると見られる患者は少なからず存在する。このような患者は，いま自分が感じているものを把握できない可能性があるし，ましてやそれを言語に乗せて心理療法家に伝え，二人で語りあうことには困難が生じる。この患者と単なる上っ面な言語の応酬以上の対話をするには，心理療法家側にも相当の工夫と試行錯誤と忍耐を要する。

　ある女性患者は「最近疲れやすく，眠りが浅く，しょっちゅう頭が痛むが，病院で諸々検査をしても異常が見つからない。精神的なものと言われ抗うつ剤をしばらく試したが変化がない。更年期のせいだと思うので話をして考えてみたい」と心理療法を求め，アセスメント・コンサルテーションへやってきた。

　あるセッションに患者は数分遅刻し，慌ただしく到着した。患者は目覚めてから遅刻に至るその過程をつぶさに述べた。「家を出ようとしたら鍵が見つからなくて，それを探し回って，ようやく発見するまでに……」。患者の話は，このような調子で，途切れなく10分近く続いた。

　心理療法家は言った。「今，あなたは私に伝えようとしているのですね，私たち二人が一緒に，あなたの心の世界について語りあうこの部屋にたどり着くことが，あなたにとってどんなに難しいかを。いろいろな障害が，私たち二人の間に割り込んできて邪魔をする。同じように，あなたにとって，日常の世界から心の世界に入り，心の中にどんなものがあるか考えるところにたどり着くことは，とても難しいことなんでしょうね」

　患者はきょとんとした表情で言った。「いえ，私は先生の邪魔をするつもりはないです。家を出ようとしたら鍵が見つからなくて……」。患者は先の説明

を繰り返した。
　心理療法家は言った。「〇〇さん，ああこれは遅刻するなあと思ったとき，いろんな気持ちが心に湧き上がってきたんじゃないかなと思うんです」
　患者は答えて言った。「そうですね。ああこれは遅刻するな，と思いました。それで，急いで鍵を探さなきゃ，って」
　心理療法家は，患者の心の中にきっと存在しているはずの何らかの情緒の動きが語られないことに，次第に焦りを感じ始めていた。どんなに，どんなふうに試みても患者の心に入っていけず，硬くて分厚いコンクリートの壁にぶつかってジタバタしている自分が滑稽にさえ思えた。患者が一生懸命話しているということは痛いほどよくわかった。しかし，お互い大量に言葉を交わしあった果てに，言葉の形で表現された情緒的なものは「今日，遅刻してしまって何かモヤモヤする」「何となく嫌な気持ち」を越えることができなかった。

　こうした展開になる理由はいろいろ考えられ，他の観点同様，特定の一場面だけをもとに患者に関する理解を確定することはできない。仮説はあくまでも仮説であって，本書に挙げた多様な要素を複合的に考え合わせて確からしさを上げる努力を続けるのみだが，上に挙げた場面は患者の象徴的言語をあやつる能力にまつわる疑念が脳裏をよぎる。成育史などの情報から，誕生直後から幼児の頃に，母もしくは母相当の人の存在がなかったり，何らかの理由で，そのような人と先に描写したような心の栄養となるやりとりが積み重ねられなかったと理解できるなら，患者の心的発達が促されず未だ象徴的言語が獲得されていないという仮説の確からしさが上がる。

3）心理療法の展開を推測するための役割
　一般的に，実年齢と，心の世界における年齢がかけ離れていればいるほど問題の歴史が長く，根深く，したがって心理療法が長期化し，その道のりは平坦なものではなくなる。前項までに挙げたふたつの観点（①患者と対象との関わりと，②患者自身の心の世界との関わり）や，次項以降に述べる他の要素も絡むので，必ずしも"単純右肩上がり直線"のように，わかりやすく一対一対応で言い切れる話ではないが，たとえば物心つくかつかないかの頃に根差した問

題を抱えた人が，現在20歳代である場合と60歳代である場合では，後者との心理療法の方が容易ならざる長い道のりになることは想像に難くない。人が特定の生き方や問題や症状を獲得するに至るには，それぞれのストーリーがあって，それぞれの無意識的意図がある。生き方や問題や症状を手放すのは，手放した方が自らの健康や幸福のためになると百も承知であろうとも，それらと共にあった年月が長ければ長いほど容易なことではない。特に誕生直後から思春期頃までは，身体の成長に引っ張られて心も自ずと成熟し成長してゆくところがあるが，ある程度以上の年齢になれば，残念だがそれも期待できない。

なお，"心的発達段階の比較的早期に留まっている"状態は，必ずしも，いわゆる"発達障害"と同義ではない。十分機能し，顕著な問題なく社会生活を営んでいる成人でも，丁寧に観察すると未だ早期段階にあることがうかがえる例はいくらでもある。

さらに，心的発達段階は，「段階」という言葉から想像されるかもしれないような，一方通行で登ってゆく階段ではない。いったんより成熟した段階まで歩を進めた人でも，不安が高まったようなときや困難に直面したときには，より未成熟な段階に戻る（退行する）ことがあるし，複数の段階の特徴が混在することもありうる。患者を理解しようとするときには，通常どの段階の特徴がもっとも前景に立っているか，そして今この瞬間にはどの段階の特徴がもっとも前景に立っているか，どのような状況で，どのようにどの状態に退行し，どのように立ち上がり挽回するのか，その状況への反応と変化の様相こそが肝要である。そしてその反応と変化の様相が，患者に心理療法が役に立ち得るか，どのような心理療法が役に立ち得るか，理解の分かれ目になるだろう。

4．継時的変化

先に筆者は「三次元空間の中を患者は長期的に，と同時に微細に移動し続けている」と述べた。変化には，心的発達や成長のように比較的ゆっくりした長期的な変化もあるし，1セッションの中で場面から場面へ，この一言から次の一言へのような，比較的素早い短期的で流動的な変化もある。いずれの場合も変化の様相は人によるし，時と場合にもよる。ここでは，その移動の様相に目を向けてみよう。

長期的・短期的に何が変化するのか。それは前項までに述べた患者の3つの要素である。すなわち，①患者と対象との関わり，②患者自身の心の世界との関わり，③心的発達段階だ。この3つの要素は互いに完全に独立しているわけではない。たとえば，③心的発達段階が移動すれば，①患者と対象との関わり，②患者自身の心の世界との関わりも変化するだろう。②患者自身の心の世界との関わりが変われば，①患者と対象との関わりも変化するだろう。このように，複雑に絡まりあい互いに影響を及ぼしあう3つの要素が，時の経過とともに長期的・短期的に変化してゆく。

　1組の男女が出会い，ひとつの受精卵が成熟し人間として誕生し，赤ん坊が成長しやがて年老いて亡くなるまでずっと，人は長期的変化を続ける（Rayner et al., 1971; Taylor, 1999）。心理療法家は患者独自のそのストーリーを，患者と共に理解しようとする。患者を目の前にした心理療法家が，その長期的変化に目を向け損ねたり検討し忘れたりすることはないだろう。過去から現在まで，そして未来へ向けての長期的な変化は，いつも患者と心理療法家の関心の向かうところだ。アセスメント・コンサルテーションにおいては特に，この人物がどのような経緯で，どんなふうに問題を抱えて苦しみ，われわれの眼前に現れるに至ったか，そしてそこから何を願うのかというような長期的変化に関心が向かう。

　しかし決して見逃せないのは，もっと短期的で，微細な変化である。たとえば地滑りのように話題がふっと変わること。あるいはいきなり患者の語調が変わること。突然患者が泣き出すこと。怒り始めること。セッション・ルームに緊張が満ちること。鬱々としたムードになること。ぼんやりしていると見逃してしまうかもしれないこのような変化は，(a) アセスメント・コンサルテーションの数セッションの中でも，(b) このセッションから次のセッションまでの間にも，(c) ひとつのセッション内の段落から段落へ，(d) もっというならこの瞬間から次の瞬間へ，というごく短い間に生じる。

　そしてこのような短期的変化を緻密に観察するなら，それはしばしば心理療法家による何らかの働きかけ(たとえば転移解釈やその他さまざまなコメント)に対する反応として現れている。では，反応とは？

5．反応

観点③「心的発達段階」の項で展開Aをたどった患者について，もう一度考えてみよう（本書 p.128）。

この患者は妄想分裂ポジションにいて，心理療法が激しい困難なものになるだろうと述べた。しかしそれは，この患者の心理療法は無理だという単純な話を意味するわけではない。

たとえば展開Aのあと，心理療法家が患者にこのように語りかけた（解釈した）と想定してみよう。

> 【解釈】：「今，あなたは私という初めての人に出会って不安なんですよね。そうなると，まるで私に不当にもひどい目に遭わされたように感じて，怖くって，返す刀でもって私に斬りかからなければならなくなってしまうみたいですよね」

これに対する患者の反応は本当にさまざまだ。

> 【展開ａ】：「お前は失礼だ！　文句を言ってやる！　上司を出せ！」
> 【展開ｂ】：「お前は失礼だ！　文句を言ってやる！　上司を出せ！　……怖くって？　不安？　私が？　ん？」
> 【展開ｃ】：「……そう。確かに。私，初めての人に会うときはいつも不安でたまらなくて，いつの間にか逆上してしまうんです」

展開ａでは，解釈以前の語りがそのまま同じ質で継続され，変化が生じていない。

①このとき，もし心理療法家が「無視された」「拒絶された」という逆転移を体験しているなら，患者が心理療法家を拒絶したという反応があったことだ。それなら今まさにひどい目に遭わされ今まさにとても怖いこと，だから攻撃という防御に必死になっていること，そのため心理療法家の語りかけを跳ね返し続けていること，そもそも患者は助けが欲しくてここまでやってきたのに，い

ざ自分に関心を向ける人の眼前に来ると，その人を敵とみなし，斬り捨てなければならない悲劇についてなど，二人で語りあう事柄はいくらでもあるし，対話できる可能性はまだ潰(つい)えていない。

それでも対話があまりにも恐怖を呼び覚まし，患者がそれに耐えられないなら，患者は心理療法を始める準備が整っていないと考えることになるだろう。

②しかし，もしそのような逆転移もなく，まるで心理療法家の解釈が患者の耳に入らなかったかのようだったならどうだろう。心理療法家の声は患者の耳に物理的には入ったかもしれないが，言葉は単なる音と化し"心の耳"には届かなかった。もちろん心理療法家というのは，たった1回の試みの結果だけで結論に至るような短絡的な人間ではないが，もしこのようなやりとりの不成立が繰り返されるなら，患者の周りにぐるりと見えない壁が張り巡らされていて，患者はその内側にひとりこもり，内壁に映る何者かに対して怒りを燃やし，攻撃され，攻撃しているようだという理解を形作り始めるだろう。さまざまな語りかけを経てもこの状態から移動がまったく観察されない場合，壁の外側から心理療法家がどのように語りかけようとも，壁の内側に留まる患者に届く可能性が小さいかもしれない可能性を考えることになる。

展開bは，展開a→①の流れに似ているが，変化がもっと速い。心理療法家の声は患者の壁をゆっくり透過し"心の耳"に届いたようだ。患者は立ち止まり，心理療法家に投げかけられたメッセージを受け取り，手にとって，「ん？」と好奇心を抱き，考えてみようとしたようだ。こうなると，患者と心理療法家が二人で共に語り合える可能性はより大きくなる。

展開cであれば対話は明らかに可能で，展開bよりもさらに大きな変化が生じている。妄想分裂ポジション的世界から抑うつポジション的世界へ移動していて，このような反応をする人は，たとえ妄想分裂ポジション的世界が前景に立つ時間が長くて，心理療法が激しく困難なものになるとしても，二人のやりとりの中で小さな短期的変化を積み重ね，いずれ長期的変化を遂げていける可能性が想定できる。困難なセッションが続いても，お互い手応えは感じるはずだ。

ここでは，何往復かのやりとりという非常に短いスパンでの観察，理解，解釈，反応，短期的変化についての例を取り上げた。このような一連の事象は，

ここに挙げた非常に短いスパンで生じるもののほか，ひとつのセッションの中で，あるいは初回セッションから次のセッション，そのまた次のセッションへ続く中でも，うねりのように，幾重にも重なりあいながら目まぐるしく生じ続けるものだ。

　結局，アセスメント・コンサルテーションは徹頭徹尾，多様な観点からの観察，理解，解釈，反応，その移り変わり，そしてまたさらに多様な観点からの観察の繰り返しの積み重ねであり，その積み重ねを通して患者を理解しようとするものである。

Ⅵ　反応を観察することの重要性

　ここまでに患者の特徴を理解するための観点をいくつか述べた。

　各観点に基づいて，心理療法が役に立ちそうだとかあまり立ちそうもないとか，あれこれ意見を述べることはできるだろう。

　たとえば対象と関わりが持て，なおかつ適切に近い距離を維持できる人に対する方が，関わりをあまりにも，もしくはまったく持てない人より心理療法が役に立てそうだ。逆にあまりに至近距離に密着してきたり侵入的にしがみついてくる人よりも，ほどほどの距離が維持できる方がお互い呼吸ができ，考えるスペースを確保できるだろう。

　自分の心に接触でき，情緒や想いに触れられる人の方が，まったく接触できず身体症状や行動記録の緻密な報告から離れられない人よりも，心理療法から利益を得られそうである。

　心的発達段階において，あまりにも未成熟でプリミティブな人より成熟している人の方が，より穏やかに対話できるかもしれない。特に象徴的言語を獲得する以前に留まっている人なら，言葉を介してやりとりすることに困難が予想されるかもしれない。各項で例に挙げた通りである。

　しかし，ある患者に心理療法が役に立ちそうかどうか考えるとき，重要性を特に強調したいのは，上に見たように，心理療法家の存在に対し，あるいは働きかけに対し，患者が反応するかどうか（拒否も反応のひとつである），最初は反応がなくても，時が流れセッションが重なるに伴い徐々にでも反応するよ

うになるか（反応の様相に継時的変化が見られるか）である。

　たとえばセッションのなかで心理療法家の存在を認識するようになる。彼らの心の世界の中に，心理療法家を存在させ維持するようになる。前回のセッションが彼らの心の中に残る。患者の心の中で対話が続いている。心理療法家がコメントや転移解釈をしてみせたとき，たとえ最終的に拒否したり否定したりしようとも，それをいったん受け取り，考えてみる様子がある。少なくとも好奇心を持つ。心理療法家のコメントや転移解釈が，患者の心に届いている手応えが生まれる。それに伴う情緒の揺れが見られる。逆に情緒の揺れから飛んで逃げるように話題の急転回が見られる。転移・逆転移に移り変わりがあって，願わくばそれがより生き生きと確かになる手応えがある。二人の間のやりとりが，ごくわずかずつでも患者の心の中に蓄積されてゆく。このように，二人の心の世界が互いに影響を及ぼしあっている気配があるなら，心理療法が役に立つ可能性はあるだろう。

　あとはあなたが，あなたの組織でその患者を安全に抱えることが可能か，さもなくばどこでどのようになら安全に抱えることができるかを，考え抜くばかりである。

　すでに述べた各要素が，それぞれとても重要であることは言うまでもない。けれども，ひとつひとつの要素それ単体で，その患者に心理療法が役に立たないという結論にたどりつくわけではない。それではいかにも単純すぎる。

　それぞれの要素の状態，およびその組合せ次第では，この状態のこの患者は自分には，あるいは自分の組織においては，安全に抱えられないという結論になる可能性はもちろんあるだろう。

　その場合は，では，どこでどんなふうになら，より安全に心理療法を，あるいは，心理療法を含んだり含まなかったりする治療計画の総体を実現できるだろうか。そのためには誰とどんなふうに話をすればよいだろうか，と考え始めるのだ。

Ⅶ　アセスメント・コンサルテーションを終える

　ここまで述べてきたような連続的観察に基づくやりとりを丁寧に積み重ねて

ゆくことで，徐々に心理療法家の心の中に患者についての"絵"が出来上がってくる。どんな"絵"だろうか。

1．「それで，何者ですか？」——個別のストーリー

スーパービジョンや事例検討会で，アセスメント・コンサルテーションのセッションの様子を聴かせてもらったあと，筆者はよく「それで，この患者は何者だと思うのですか？」と尋ねる。しばしば返ってくる答えは「対人関係の困難の人です」「自我の障害の人です」「自己愛の問題の人です」というようなものだ。確かにこのような短いフレーズで言い表される側面もあるだろう。しかし念入りに準備し，何セッションも対話を重ねたのだ。このような汎用の言葉でおしまいにせず，もう少し力を注ぎたい。患者個別の，その患者専用のストーリー（精神力動的フォーミュレーション）を組み立ててみよう（Hinshelwood, 1991）。

そのストーリーにはたとえば次のような要素が含まれている。

- 今どのような困難を体験しているのか。
- それはどのようなわけで形成されるに至ったのか。
- それは生育史やその他の事実関係からどのように説明できるのか。
- それはアセスメント・コンサルテーションのセッション内でどのように繰り返されたか。

たとえば次の患者のアセスメント・コンサルテーションを考えてみる。

患者は40代，男性で独身。3人兄弟の長男。長びく抑うつ気分と集中できなさのため"精神分析"[*10]を求めている。主治医のもとで，抗うつ剤を主とした薬物療法を受けているが，特に目ざましい変化はないという。前年，同様の主訴にて，個人開業の精神分析家のもとでアセスメント・コンサルテーションを1セッション受けたが，「自分の仕草や見た目などにまつわる"浅い"[*10]

[*10] 患者自身がこれらの言葉を用いた。

コメントをされるだけだったので，馬鹿らしくなって行くのをやめた」。

　そんな彼の生い立ちに目を向けると，子どもの頃，エンジニアであった父は長らく海外に単身赴任し，年に数回ほどしか患者ら家族に会うことがなかった。患者は父に愛情を注いでもらった記憶はないものの，職業人として成功を収めた父に，尊敬と憧れを抱いている。その一方で，いつも鬱々として，ただ父の意に従う母の姿に反発と軽蔑を感じていた。弟たちは不登校や引きこもりなど具体的な問題を多数呈したのに対し，患者は優等生として大学を卒業。数年間IT関連企業で働いたのち大学院に戻り，修士号を取った。専門は統計学。修了後はエンジニアリング関係の国際企業に勤め，専門を活かしたポストに就き現在に至っている。しかし，特にここ数年しばしば上司に叱られることが増え，同僚にも責められているようで抑うつ気分と集中力の欠如が著しく，仕事上の支障が出ているという。

　ちなみにこの患者は先に触れた，初回セッションの待ち合わせ場所で，確信に満ちた態度で心理療法家の前を何度も素通りした患者である（本書 p.93）。複数セッションやりとりを重ねた末（セッションの詳細は省略するが），心理療法家（女性）は患者を以下のように理解した。彼固有のストーリーである。

　患者は基本的にとても不安が強く，あまりにも自信がない。そのため毎晩悪夢を見て安眠できないほどだ。「自分は冴えていて天才だ」と大口を叩く瞬間もあるが，それはたちまち脆く崩れ去り，「自分は生存競争を生き抜くことは到底できそうもない」と絶望の中に落下してゆく。アセスメント・コンサルテーション中にもしばしば観察された，この自己認識の激しい揺れ動きに患者自身も困り果てている。

　患者は仕事も長年続けているし，一見あまり困っていないように見える。けれどもその実，混乱のなか道に迷い怯えて震えている子どものようだ。日常生活で出会う他者の目を通して見えるだろう患者の姿と，真実の患者の姿の間にはとても大きなギャップがあって，そのギャップが彼を不安に陥れている。

　このような不安，自信のなさ，不安定さは子ども時代に端を発するものだ。
　彼は自分の仕事を「社会的に意義深いもの」ととらえているが，その仕事と

は尊敬と憧れの対象である父の姿を取り入れたものである。仕事で失敗することはすなわち父のような自分という尊厳を，そして心の中の父をも，失うことを意味する。家庭内暴力等の報告はないが，父は無能・無用な存在を断罪して捨てる存在でもあった。父的な自分を，父を，失うまいとするあまり，彼は一転母のように自信なく怯え鬱々とした姿になってしまう。そうなった彼が体験する恐怖はとても強い。「もし万が一仕事を失うようなことがあれば，自分はブレイクダウンしてしまうに違いない」と彼は述べたし，彼が見る代表的な悪夢は「巨大なダムが決壊して大惨事が起こる」というものだ。ちなみに父が単身赴任中に取り組んでいたプロジェクトのひとつは，ある発展途上国にダムを建設するというものだった。

　患者は今回，心の"ダム"が決壊する大惨事が迫っているという危機感を抱き，専門家の援助を求めた。しかし彼は自分と異なる，あらゆる存在との接触を侵略・断罪ととらえ，激しく怯え，緊張し，混乱し，最終的に心理的にすっかり引きこもってしまう。そのため日常生活において，わかりやすくは異性，異なる年代の人，異なる国の人などとの交流が妨げられ，当然職務上の支障を来しているし，究極的には自分とは異なる意見や考え方などからも同様に引きこもる。アセスメント・コンサルテーションで出会った"精神分析的な考え方"，"精神分析的な考え方をする心理療法家"に対しても同様の反応を示し，情緒的な接触が難しかった。

　本書でここまで述べてきたさまざまな要素がぎゅっと寄り集まって，このストーリーを作り上げている。患者の姿が浮かび上がってくるようだ。アセスメント・コンサルテーションの終盤に向けて，このようなストーリーが心理療法家の心の中に出来上がってくる。これを作り上げてほしい。

　これが出来上がるまでに要する時間は，心理療法家の経験・能力・状況によって違うし，患者の状況によっても違う。最低セッション数が2であることはすでに述べたが，何セッションを要するかは開始時点では予見できない。2～3セッションでこの状態になる場合もあれば，なかなか像を結ばない場合もある（本書 p.65 も参照のこと）。

2．今，その人に，心理療法は役に立ちそうだろうか

　上記のようなストーリーが見えてくると，今，その患者に何らかの心理療法が役に立ちそうかどうか，立ちそうとするならば，どのような心理療法をどのようにおこなうのがもっとも役に立ちそうだろうかを，観点1〜5を念頭に置きつつ考え始める。

　もう一度上の患者の例に戻ろう。心理療法家は，以下のように考えた。

　この時点でまず考えられるのは「この患者に心理療法は役に立たない」である。なぜなら彼は，わかりやすく目に見える自分とは異なるもの（異性，異なる年代の人，異なる国の人）ばかりか，もっと心理的な意味で自分とは異なるもの（自分と異なる意見，考え方）と出会い，接することにも困難を覚えている。そうしたものとの接触を侵略・断罪ととらえ，激しく怯え，緊張し，混乱し，最終的に心理的にすっかり引きこもってしまうところがある。たとえば前年に，アセスメント・コンサルテーションをたった1セッション受けて中断してしまったのも，このような被侵略〜引きこもりというお馴染みの反応が生じた結果と理解することもできる。今ここで心理療法を始めても，やはり同じような反応を繰り返し，失敗の体験がもうひとつ増えるだけで得られるものはないかもしれない。

　しかし彼は心理的な問題を抱え苦しんでおり，専門家の助けを切実に求めている。それは確かだ。先に精神分析家と上述のような失敗体験をしたが，何カ月かを経て，もう一度別の精神分析的心理療法家（つまり自分）のもとを訪れてきたのは，決して衝動的な行動ではない。自ら考察を経て，今度こそ，という決意の表れであると理解できる。現に今回のアセスメント・コンサルテーションでは，ここに至るまで3セッション連続でやってきたし，遅刻もない。

　さらに患者は，父側の世界に属する優秀な自分という自己イメージが崩れ大惨事（心理的ブレイクダウン）を起こすという危機感を強く抱いていて，連夜夢に見るだけでなく，セッション内でもその危機感を訴えた。

　心理療法家は，セッション中の彼の様子を思い起こした。

確かに出会い頭の感じだと明らかに難しそうだった。不安と緊張のあまりとはいえ，あんなふうに心理療法家の眼前を何度も通り過ぎてゆく人はそうそういない。それもあんなに躊躇なく自信満々で。自分ではない者との遭遇がどれほど恐ろしいかの裏返しだろう。そんな患者にとって，いくら彼自身が求めているものだとしても，心理療法家と二人，複雑で真剣な話をしてゆくことは並ならぬ恐ろしさのはずだ。

　しかし彼は，夢についての解釈をためらいなく受け入れ理解したし，その理解について共に話し合うことができた。彼の職業選択が父への憧れに基づくことや，父を失うことに怯えるあまり，ひたすら従属的で鬱々とした母のようになってしまうこと，父的自分と母的自分の間で激しく揺れ動いてしまうことについても対話が可能だった。これらの事態が今どのように彼の生活に，ひいては人生に影響を及ぼし続けているかについても，恐ろしかろうに話し合えたのだ。知的な人でもあるし，「仕草や見た目などにまつわる"浅い"コメント」に留まらない，つまり「外から見える父的で優秀な彼」だけに留まらない，「内なる，母的で怯えた真実の弱い彼」についても含めた"深い"話がしたい，その準備ができているということではないか。

　このようにして，心理療法家は，今なら患者に心理療法が役に立つ可能性の方が大きいだろうと推測するに至った。

3．あなたは，あなたの属するその組織は，今，その人の役に立ちそうだろうか？

　では，どのような心理療法をどのようにどこで誰がおこなうことが，もっとも役に立ちそうだろう。複数の候補を想定する。

　たとえば上記の患者の場合，候補に挙がったのは以下の4つであった。選択肢の下に記してあるのは心理療法家がなぜその選択肢を想定したに至る考えの道筋である。

1）前年に中断した精神分析家のもとに戻り，アセスメント・コンサルテーションを再開

　この選択肢を選べば，患者は大惨事に終わったかに見えた話の続きを再開す

ることができ，のみならず破滅を修復し，"深い"体験につなげてゆくという実りある体験をできるだろう。この選択肢を選ぶなら，心理療法家は，アセスメント・コンサルテーションの結果報告書を紹介者だけでなく，患者の同意のもとで精神分析家にも送ることができるし，必要に応じ精神分析家に連絡を取ってフォローアップもできる。これが最善の選択肢ではないか。

2）今回アセスメント・コンサルテーションを受けた施設に留まり，週1回，対面の形でおこなう精神分析的心理療法

　もし患者が，精神分析家のもとに戻りたくないというなら仕方ないだろうし，あるいは今回，アセスメント・コンサルテーションにおいて大事な体験を共にした心理療法家のもとに留まりたいと述べるなら，それもいいかもしれない。

　その場合，患者が心理療法のセッションで体験するだろう恐怖を考えると，週1回対面式の精神分析的心理療法から，ゆっくり丁寧に始めるのがよいのではないか。彼は知的な面や象徴的言語を操る能力に関して問題はないし，どのように今の困難な状況に至ったか，どのような困難にあるのかを考え理解を深めてゆくには，精神分析的なアプローチが適しているだろう。これが次善の策。

　なお，彼は恐怖の裏返しとしてしばしば尊大な「冴えていて天才」の状態になるし，"軽い"話に留まるならいつでも来なくなるぞ，と警告を発してくるような，というよりむしろ半ば脅してくるようなところもある。加えて，尊大〜被侵略〜心理的引きこもりの間を揺れ動く速度がかなり速いし，特にセッションの中で解釈など「異なる意見」と遭遇した瞬間に，反応として鮮烈に揺れ動くだろうから，相応の観察眼がある中堅以上の心理療法家が適しているだろう。

3）今回アセスメント・コンサルテーションを受けた施設に留まり，週3回，カウチを使った精神分析的心理療法

　彼はもともと「精神分析」や，表面的でない"深い"話を求めていると主張しているのだから，最初から週3回でカウチを使った精神分析的心理療法を，という選択もあるのではないか。いや，それは先を急ぎすぎというものだな。これは選択肢から外そう。

4）何もしない

　患者がアセスメント・コンサルテーションの経験を踏まえ，やはり怖いのでやめておきますと言うなら，それはまだ準備が整っていないということだろう。そのときは紹介者に戻して，従来通り薬物療法と通常の診察でフォローしてもらうことにしよう。将来的に気持ちが変わったら，そのときまた改めて再度紹介してもらい，アセスメント・コンサルテーションから再開すればよいだろう。

　このようにして，4つのうち1つの選択肢が消え，残るは3つである。ここから先はいくら心理療法家の中だけで考え続けても，答えにたどり着けるものではない。患者本人と対話し，共に決定に至ることだ。上記の例でも3つの選択肢それぞれについてメリットとデメリットを挙げながら，話し合い，最終的に選択・決定に至ることになる。

　時おり水晶玉でも覗き込むように，ただひたすら無言で患者を凝視し続けさえすれば何もかもわかる，と考えている心理療法家があるようだ。しかしわれわれは魔術師ではないし，われわれがやっているのは対話を基盤とするトーキング・セラピーである。上述の選択肢も含め，われわれが組み立てるのはあくまで仮説にすぎない。その仮説が確からしいか，どの仮説がもっとも確からしいかは，患者本人と対話し，やりとりをしてゆくことの中にしか見つからないものだ。

　ミルトンはアセスメント・コンサルテーションにおける判断に際し，検討すべき要因として以下のものを挙げている（Milton, 1997）。それぞれに関しては本書の各所にすでに述べた。アセスメント・コンサルテーションを終えるにあたって今いちど確認したい。

1．患者および心理療法家の身体的安全の確保
2．患者の心理的安全の確保
3．患者のプライバシーと尊厳の確保
4．患者が心理療法から利益を得ることができるかどうか
5．心理療法家の訓練上のニーズ
6．経済的な面

Ⅷ 治療選択肢の提示と
アセスメント・コンサルテーションのループ

　以上のようなプロセスを経て心理療法家の心の中に複数の治療選択肢が定まる。いよいよアセスメント・コンサルテーションの終盤における山場，治療選択肢提示をしよう。

1．治療選択肢の提示

　アセスメント・コンサルテーションの全過程・全セッションを踏まえ，患者がどのようにどんな困難を抱えるに至ったと心理療法家が理解したか。ついてはどのような治療選択肢が適していると考えたか。これを患者に理解できる言葉・文法を選んで語ること。
　たとえばこんなふうに。

　　ここまで何回かにわたりあなたにお会いして，私が理解したところでは，あなたの苦しみはこれこれ。ついては週1回通ってきて私とこのように話をすることが最適だろうと考える。理由はこれこれ。どうだろうか。

　　今はこのようなお話をする形での治療法は，おこなうべきときではないのではないか。理由はこれこれ。どう思うだろうか。

　セッション中に心理療法家が発するあらゆるコメント同様，患者が理解できるように言わなければ意味がない。つまりいくら正しかろうと格好よかろうと，ただ専門用語を羅列した長台詞で，結局患者の心に届くことができないのならそれは心理療法家の失敗ということ。
　前項（p.138-145）で，心理療法家が患者をどう理解したかのストーリーと，それに応じた治療選択肢の案について例を挙げて述べた。基本的にこれを患者に伝えようと試みる。前項にて記述したものをそのまま読み上げるように述べても，おそらく患者には伝わらないだろう。そもそも分量が多すぎて長いし，

耳で聴いて理解するには複雑すぎる。そもそも患者は不安の中にある。初回セッションの出会い頭同様，終盤の治療選択肢提示のステージも，患者にとってはとても不安をかきたてられる場面だ。なにしろ，当初の目論見通り心理療法を手に入れることができるかどうかの瀬戸際にあるのだから。テストの結果を渡されるように体験したり，もっと恐ろしく，たとえば裁判で判決を言い渡されるように体験する人もいる。なるべく平易に，患者の心にまっすぐ届くような言い方を選んで伝えたいものだ。

　伝え方次第で，アセスメント・コンサルテーションはそれ単体で小さな，ごく短期の心理療法としての効果を発揮できる可能性を秘めている。ここを適切におこなうことで，たとえ最終的に今は心理療法を開始しないという結論に至ったとしても，あなたとの対話がひとつの重要な体験として，患者の心に残ることになるかもしれない。

　あなたの提示した案のひとつに対し「そうですね，それがいいです」と患者が合意したなら，それを実行するために動き出すことになるが，しかしその前に，患者が合意する様子に関しても（しつこく）観察し考えること。その合意は本当に合意だろうか。

　たとえばあまりにも素早く，あたかも丸呑みするように合意する人がいる。とにかく何でもいいから，与えられたものを無批判・無検討に受け取ってしまう特徴が現れているのではないか？　本当は何らかの不満や合意できない気持ちを抱えているのに，それを黙って押し殺しひたすら従順であろうとする特徴が現れているのではないか？　多くの場合，患者のそのような特徴は，ここに至るまでに明らかになっていることだろう。だから心理療法家は，その特徴がいま再び顔を出したことに気づくはずだ。合意された治療選択肢の実行に向け動き出す前に，もう一度踏みとどまって，いま何が起こったのか丁寧にコメントし話し合うこと。手間と時間を惜しまず，そのようにして心からの合意に，場合によっては心からの不合意に，たどり着きたいものだ。

　提示された選択肢に対して，どれを選ぶか，どれかに合意するか考えるために時間が必要な人もいる。それならそのセッションをいったん終えて，次の回までに考えてきてもらえばよいし，場合によっては，次回予約をせずに，心が定まったら連絡をくれるよう伝える場合もある。ケース・バイ・ケースで一律

には言えない。

　選択肢はなるべく複数案提示したいものだ。最善の策，次善の策くらいは考えて用意しておきたい。そしてすでに述べたように「今この段階では何もしない（紹介される前の状態に戻る）」という選択肢は，誰に対してもいつも存在する。

　「今この段階では何もしない」という結論になっても，それは決して一巻の終わりではない。永遠に，金輪際，未来永劫心理療法を提供しないということを意味していない。「今この段階ではしない」というだけの話である。

　時が経てば人は変わることもある。ある程度の年齢を超えた大人では，身体の成長に引っ張られて心が自ずと成長することは見込めまいが，しかし有意義なアセスメント・コンサルテーションを体験したあと，患者がその記憶を反芻し続けたり，考え続けたりして，心の状態に変化が現れることはままあるし，時が経って事情が変わることもある。

　たとえば経済的な理由とか，勤務状況や家庭の事情など，具体的な理由のために心理療法を始められなかった場合には，そうした状況に変化が生じることもあるし，そうした状況を変えるべく，誰かを説得したり誰かの協力を得たりといった工夫をする人もいる。

　心理療法によって自分の心に触れることを恐れ，一度は尻込みしたものの，何らかの出来事を経て，これはもう自分の心を直視するより他はないと覚悟が決まるようなこともある。防衛が強固な患者では，残念ながら何らかのブレイクダウンを経なければ，一歩踏み出すことができない場合もある。

　このように諸々の事情によって心境や状況に変化が訪れ，そして患者が願うなら，そのときまた改めて紹介を経て，そこからまた対話を再開すればよい。患者にとってアセスメント・コンサルテーションがよい体験であったなら，きっと患者は，帰ってくることができる場所としてアセスメント・コンサルテーションを記憶し続けるだろう。

　ただし，最初に紹介を受けてからアセスメント・コンサルテーションに入るまでに，さまざまな検討事項があったことを思い出してもらいたい。再び紹介を受けたときも同様の検討を忘れないこと。この段階でその紹介を引き受けない方が患者の利益になる（引き受けたら患者の不利益になる）ような何らかの

事情があったなら，引き受けることはできない。これについては本書の最初の方に戻って丁寧に考えること。

たとえば前項の選択肢の例で「1）前の精神分析家のもとで再開」で合意していたのに，しばらく経って再度紹介があって，確認すると精神分析家に連絡を取っていないことが明らかになった場合には，まず「これこれという話であったと記憶しているが，どうしたか」と尋ねることくらいはしたいものだ。その先の展開次第では，お引き受けしても追加で役に立てることはないかもしれない。

なお，ここに述べたことは心理療法を始めた場合も同様である。心理療法にもやがて終わりが訪れるが，それもまた未来永劫の終わりではない。中断も同じ。もし将来，しかるべきときが訪れて，必要性が再び生じたなら，改めて紹介を経てアセスメント・コンサルテーションを受ける道は，いつも開かれている（これを「レビュー・コンサルテーション」と呼ぶ）。

このようにして，アセスメント・コンサルテーションの全体のプロセスは，「ご紹介」から「狭義のアセスメント・コンサルテーション」，その終盤には「治療選択肢提示」「合意もしくは非合意」へと進む。合意の場合は「心理療法の実施」から「終了」へ，そして再度「ご紹介」から「レビュー・コンサルテーション」へと，不合意の場合は時を経て再度「ご紹介」から「レビュー・コンサルテーション」へと，ループ状になってぐるぐる回り続ける。その途中で止まって保留になったり，最初に戻ったりすることがあっても，患者自身がそれを望み，そして事情が適切ならば，いつでもループを再開する選択肢は維持されている。途中で途切れたまま，完全に未来永劫失われてしまうことはない(p.38 図2参照)。

それに加えて，心理療法家はこの世に自分ただひとりではない。そのことは決して忘れないように。もしそうすることが患者の利益になるなら，あるいはそうしないことが患者の不利益になるなら，適切な同業者に患者を紹介すること。むやみに自分が患者を抱え込まないこと。そのようにしてアセスメント・コンサルテーションのループは，誰か他の心理療法家に引き継がれる。引き継ぎに際し自分が役に立てることがあるなら，喜んで尽力する。たとえば患者の同意を得て紹介状を書いたり，紹介先の心理臨床家に連絡してフォローアップすることなど。

2．さまざまな治療選択肢の例

　大人を対象にした精神分析的心理療法を専門とする筆者が，治療選択肢として提示できるもののバリエーションについて紹介しておく。自分の治療選択肢を検討する際に参考にしていただければと思う（本書 p.42 も参照）。

　なお，以下に示したのはアセスメント・コンサルテーションの末に提示する治療選択肢についてである。アセスメント・コンサルテーションそのものの構造ではないことに留意。アセスメント・コンサルテーションの構造はすでに述べた通り（本書 p.68）。

1）頻度

　週1〜3回。

　十分な情緒交流の体験を維持するために，原則として最低週1回を勧めている。

　ひとつのセッションから次のセッションまでの1週間に，せっかく体験した情緒的接触の記憶が著しく薄れたり失われたりする人の場合は，週1回では足りない。まったく意味がないとはいわないが，より高頻度で（記憶が維持できる適切な頻度で）会った方が，より有意義な体験にできるだろう。自分や相手の心の世界に接触することに困難を覚える人に，この状態が多く見られる。

　また，1週間ひとりで不安等の情緒を抱えきれず不安定になってしまう人も，週1回では足りない場合がある。しっかり抱えられる環境を提供するという意味で，より高頻度の心理療法が必要かもしれない。このような患者の場合，第一選択肢として週2または3回を勧めている。

　逆に，週1回からだんだんと始めるという判断をすることもある。たとえば心理療法家と一対一で向かいあって対話することで，まるで拘束され縛り付けられたような閉塞感に怯えたり反発したりする人。あるいは自分の情緒をまざまざと体験してしまうことを怖がっている人。その場合は週1回から始め，経過を見ながら必要に応じ話し合い頻度を増やしてゆくことを提案するだろう。

　週1回未満は情緒的交流が起こりにくいため，通常第一選択としてはお勧めしていないが，上記のように情緒的接触を怖がっていたり反発したりする人の

場合，次善の策として隔週から始めて，次第に増やすことを提案することがある。さらに，心理療法を必要とし，役に立つだろうとは見込めるのに，経済的事情などが障壁になる場合がある。その事情が変わるまで，隔週などから始める案を提案することも考えられる。

　週1回未満の場合，精神分析的コンサルテーションととらえ，近い将来に精神分析的心理療法を始めるための準備段階として活用することもできる。

2）セッティング

　患者と心理療法家が向かいあって対話する対面式，もしくは患者がカウチに仰臥し，その後頭部のあたりに心理療法家が座る形で対話するカウチ利用式。

　ケース・バイ・ケースだが，おおむね，週1回以下の場合は対面式を，週2回以上の場合はカウチを用いることを提案する例が多い。

　カウチを用いると心理療法家が患者の視界に入らないので，並ならぬ不安や恐怖に陥り耐え難く感じる患者がいる。心理療法家が消え失せる（視界に入っていないイコール存在していない）ととらえて，並々ならぬ孤独に陥る人もいるし，頭上から心理療法家に襲われると恐れる人もいる。各患者の特徴が現れるところだ。このような人は，心理療法家を文字通り視界に入れ見据えていると安心できることがあるので，頻度によらず対面式から始めることを提案するかもしれない。

　逆に目の前に心理療法家が座っていると，その顔色を読むことでいっぱいいっぱいになって，自分の気持ちどころではなくなる人がいる。その場合カウチを用いた方が多少自由に話ができるかもしれない。

3）人数

　基本的に患者1名，心理療法家1名という一対一の精神分析的個人療法の形をとるが，場合によっては夫婦（カップル）を対象とする精神分析的カップル療法（Ruszczynski, 2017），あるいは5～8人程度の小グループを対象にした精神分析的グループ療法（Garland, 2010）を提案する場合がある。

4）同居する子どもがいる場合
 筆者は大人を対象とした心理療法を専門におこなっているが，その大人と同居する子どもに何らかの手立てが必要と推測されるような場合には，子どもおよびその家族の心理療法が専門である同僚に相談し，その子どもに何らかの対応が必要かどうか検討することにしている。たとえば大人が抱えている問題の影響が子どもに及んでいると推測される場合，虐待等の恐れがある場合，子どもの側に何らかの困難が生じていると推測される場合など。

 5）自分の組織外に存在する選択肢
 自分以外の人や，自分が所属する組織外に属する人が持つ治療選択肢も必要に応じ検討の対象になる。
 そのタイミングのその患者に，どのような選択肢がもっとも適切か考えるなら，自分が提供可能なもの以外の選択肢がより適切だろうと結論づけられる場合もあるのは当然のことだ。
 たとえば薬物療法やその他の医学的治療。筆者が提供できる治療構造とは異なるものが必要と考えられるとき（たとえば入院施設，作業療法，デイケアなどが必要と予想される場合や，より廉価なサービスが適切と理解できる場合など）。心理療法のなかでも，認知行動療法，行動療法，各種の芸術療法などがより適切であると推測できるとき。
 言葉によって自らの心の世界を表現し，コミュニケートすることが難しい患者は，言葉を介した心理療法（たとえば精神分析的心理療法）より芸術療法（たとえば絵画療法）の方が効果的かもしれない。また，自らの心の中にある不安や葛藤に向かいあう用意ができていない場合（たとえば極度に怖がっているとか，ぜひ心理療法をやりたいとはいうものの，不安なトピックに近づくと明らかに激しくうろたえ思考が停止するなどの反応が見られるとか），認知や行動など現実的世界に焦点を当てたアプローチ法（たとえば認知行動療法：CBT）が，その患者にとっては，今は取り組みやすいとも考えられる。
 一般的にいって，夜も眠れず食事ものどを通らず（著しい抑うつ状態），常時何者かの影や声に怯え，身を震わし（幻覚・幻聴など急性期の精神病状態），希死念慮が明らかで，現に深刻な自傷行為を頻繁に繰り返し，たびたび精神科

病棟に入院を繰り返している，あるいは継続的にアルコール等さまざまな物質の過剰な・不適切な摂取もしているというような患者に，いきなり週複数回の精神分析的心理療法をと考える人は（当該の精神科病棟内でおこなうなどの場合をのぞけば）いないだろう。極度の摂食障害などで，今まさに身体的危機に瀕している場合も同様だ。その身体的危機に対する介入が先決だろう。

そのタイミングで，その人にもっとも役に立つだろうと見込まれる選択肢を選ぶことが重要である。ただし，それぞれの選択肢は排他的ではないし，永続的に唯一絶対ではない。

たとえばアセスメント・コンサルテーションの結果，第1ステップとしてCBTをおこなって，それを終え，その結果自らの心の世界に対する好奇心や疑問が湧いてきて，どういうわけで自らはこんな苦しみを抱えるに至ったのか考えてみたい，という切実な願いの高まりを自覚して，CBT担当者による紹介もしくは患者自身の要望によって，再度アセスメント・コンサルテーション（レビュー・コンサルテーション）に戻って来，今度は第2ステップとして精神分析的心理療法を，という展開も少なからず存在する。あるいは週1回対面式の精神力動的心理療法から，週複数回カウチ使用の精神分析的心理療法へという展開や，精神分析的グループ療法から精神分析的個人心理療法へという展開など，いくらでもある。

第6章
Step 4：後処理

　以上で狭義のアセスメント・コンサルテーションは終了したが，心理療法家がおこなうことはまだ残っている。後処理，すなわちいくつかのペーパーワークを通した振り返りである。後処理は狭義のアセスメント・コンサルテーション終了後，可及的速やかに取りかかり完了させる。

I　紹介者への手紙

　紹介者が専門家である場合，紹介状をもらった時点ですでに一度返事を書いているが，アセスメント・コンサルテーション終了時点でもう一度返事を書くこと（図4）。
　紹介者が個人的な関係者，患者の家族，本人の場合はこの限りではない。
　まず患者の取り違え等の事故を防ぐための情報を明記する。誰に対する誰からの手紙であるか。どの患者に関する情報か。確実に個人が特定できるよう，氏名，生年月日，住所，IDがあるならIDを明確に記す。
　次に完了した手続きの事実関係を明記する。すなわち，ご紹介いただいた年月日（紹介をいただいたことへの謝辞），アセスメント・コンサルテーション目的で当該の患者に会ったこと，それはこれこれの年月日からこれこれの年月日までであったこと。アセスメント・コンサルテーションをおこなうことは，紹介状を受領した際に送った手紙ですでに予告済みである。
　続いて，この患者が抱えている問題について簡潔に述べる。過剰に詳細に記述する必要はない。患者が紹介者に未だ公開していないような個人情報

○○クリニック
○○先生
（住所）　　　　　　　　　　　　　　　　　　　　○年○月○日
　　　　　　　　　　　　　　　　　　　　　　　　（自分の組織名）
　　　　　　　　　　　　　　　　　　　　　　　　（自分のなまえ）
　　　　　　　　　　　　　　　　　　　　　　　　（組織の住所）

Re：（患者氏名）様（ID，生年月日，住所）

　標記の方について，○○年○○月○○日にご紹介いただきましてありがとうございました。○○年○○月○○日付のお手紙でお知らせしましたように，アセスメント・コンサルテーション目的にて，○○様に，○○年○○月○○日から○○年○○月○○日までの間（計○○回）お会いいたしました結果，週1回の精神分析的個人療法を始めるということで合意に至りましたのでお知らせいたします。

　先生もご存知のように○○様は音楽家であり，常日頃，自分の心の様子は言葉によって語るより，むしろ音楽を通して表現することを得意とされております。ですのでアセスメント・コンサルテーションにおいても，特に最初の頃は，ご自身が何を感じ，何に苦しみ，何が不安なのか私と語りあうことに困難を覚えておられました。
　それに加えて○○様は，一方では職業人としてもひとりの人間としても今のままではもういられない，このままでは行き詰まりだという想いも抱いておられて，そのために今回心理療法をご希望されましたが，もう一方では，私と話をして自分の鬱々とした自分の心の世界に向かいあうより，いっそ明るくはしゃいでいられる，いわば躁的な世界に逃げ出してしまいたいという願いもあって，そのふたつの考えの間で揺れているようでした。

実際○○様は，第２セッション（○○年○○月○○日）のあと，しばらくご予約をキャンセルされ，第３セッション（○○年○○月○○日）にお越しになるまでに約３カ月を要しました。これは○○様にとっては，上述のふたつの考えの間で引き裂かれ，身動きが取れなくなっていた期間でありましょう。しかしこの間，仕事上，あるいは個人的にもさまざまな苦い体験もされて，次第に，いったん立ち止まって自分自身について考えてみたい，そうしなければならないという想いを強くされるに至りました。今では○○様は精神分析的心理療法を通し，ご自身の来し方行く末について，そして自分の心の世界について考えてみることを切に希望されております。

　心理療法が始まりますと，アセスメント・コンサルテーション中のように，心の世界に向かいあいたい，いやいっそ逃げ出したい，という複雑な想いを折々に体験されることでしょう。しかし○○様の強い決意を基盤に，心理療法を有意義な体験として活用していただけるよう願っています。

　もしもご不明点等ございましたらどうぞご連絡くださいますように。このたびはご紹介いただきましてありがとうございました。

署名
Cc：（患者氏名）様

図4　紹介者への手紙の例

を，患者の同意なく開示すべきではない。心理療法家が理解するに至った患者個人のストーリーの中で，紹介者に開示可能な部分だけを記述する。
　続いてアセスメント・コンサルテーションの結論を述べる。心理療法を始めることになったか，ならなかったか。心理療法を始める場合，どのような心理療法で，いつから開始するか。ウエイティング・リストに登録され，しばらく

待機することになるか。始めない場合どのような結論になったか。

　最後に，心理療法を始めた後に予想される困難や，紹介者への注意喚起，依頼事項など。

　患者の問題，結論，注意喚起に関しては，セッション内で患者と話し合っていない事柄を記載しない。逆に，この文書に記載しようと思うような事柄はセッション内であらかじめ患者と話しておく。患者が読んで「そういえばそんなこと言ってたな」と納得できる記載を心がける。

　末筆として，改めて謝辞を述べ，不明点等あればいつでも連絡をくれるよう述べる。

　この手紙を紹介者に送るとともに，その写しを患者本人にも送る。

　手続きに関しては組織ごとの工夫が必要かもしれないし，同組織内の場合は「手紙」という形式は取らないかもしれない。いずれにせよ，送ったものを紹介者が患者に見せたり語って聴かせる可能性があることを念頭に，患者本人が目にしては困るような文書は誰にも送らない。そして，上述の項目をなぞった文書をただ機械的に生産するのではなく，書き手の心が伝わる生きたものになるよう試行錯誤すること。

　紹介状を受領した際の返事の複写はすでに患者に同送済みだし，紹介者に連絡を取りあうことは，受付質問票において患者の同意・不同意の意思表示を得てあることが前提である。これがなされていない場合は，セッション中に患者の同意を得る必要があるが，併せて手紙の内容をセッション内で患者と共有し，あらかじめ話し合うとよいだろう。すでに述べたように，本人と話し合っていない新情報をいきなり紹介者宛の手紙に記載し，それをのちに患者が目にしてびっくり仰天するような事態は避けること。患者が抱えている問題如何では，またいつもの傷つき体験が繰り返されることになる。たとえば「人は誰でも，表の顔がどうであろうと，裏でこそこそ違うことを言っているものだ」のような不信感に満ちた世界に生きている人にとっては，「ほらやっぱりね」と証拠をまたひとつ集めることになってしまう。患者と心理療法家，あるいは患者と心理療法というもの，患者と治療の総体の間に築かれかけた信頼関係が壊れかねないし，ことによってはトラウマティックな体験になって，患者にとって不利益なこと極まりない。図らずも心理療法家がそんな事態に加担してしまわな

いよう，できる限り注意を払いたいものだ。患者があずかり知らぬところで秘密裏にこそこそしない姿勢を示すためにも，筆者は紹介者等に文書を送る必要があるときは，必ずその内容を患者と共有している。

　完成した手紙の複写は，アセスメント・コンサルテーションに引き続いて同じ担当者がそのまま心理療法をおこない続けるのであれば，手渡しできるだろうし，ウエイティング・リストに入ったり，異なる担当者に引き継ぐことになったり，心理療法を始めないことになったりしたときには，郵送など適切な手段で渡す。

　このような手紙を書く目的は以下の通り。

　何よりも第一に，アセスメント・コンサルテーションの終わりは紹介者と心理療法家の協力関係の終わりではなく，必要が生じればいつでも連絡を取りあう用意があるという意志を紹介者に伝えるため。心理療法が始まると患者は，これまで抑圧したり否認したりしていたものごとに触れることになったり，そのため情緒が大きく揺れたり，問題を抱えるに至ったそもそもの地点まで退行したりするだろう。一時的に不安や抑うつ気分が顕著になったりして，医学的な援助が必要になることもあるかもしれない。それに加えて，患者が紹介者と心理療法家の間を行ったり来たりして，それぞれとの間に異なる転移関係を発展させたり，異なる役割を負わせたり，たとえば片一方が"良い対象"に，もう一方が"悪い対象"になったり，時を経てそれが引っくり返ったりすることもあるだろう。そのような局面で，必要に応じ，患者のために最適な治療の総体を維持できるよう，紹介者と心理療法家は常に信頼に基づいて協力しあえる関係を築きたい。心理療法家が紹介者に連絡を取らせてもらうこともあるだろうし，同様に紹介者側にもし不審や疑問があるなら，そのときは心理療法家側に問い合わせてきてもらいたいのだ。患者の利益のために共に協力しあえる関係を維持したいものである。

　第二に，紹介者に対する謝意を示すとともに，心理療法家がどのように考え，どのように患者を理解し，どのような仕事をする人種であるかを説明するために。紹介者によっては，これが精神分析的な考え方や，心理療法というものに触れる初めての機会である場合がある。今回初めてさまざまな偶然を経てわれわれに接したのだ。"良い体験"，"有意義な体験"として紹介者にも記憶して

もらえるよう，われわれも努力したいものだと思う。

Ⅱ　患者への手紙

　紹介者への手紙の複写を患者に同送するのは，実はこの手紙は患者に宛てて書いたものでもあるからだ。

　前項に，この手紙を書く目的を2点挙げたが，加えて，次のような目的もある。

　つまり，第三に，上述の第一，第二の目的を持って動いているわれわれの姿を患者にも見せるため。われわれ心理療法家は，患者がこれまで出会ってきた人々，たとえば「表の顔がどうであろうと，裏でこそこそ違うことを言っている」人々とは異なる新種の人間かもしれない，新しい対象関係を持ちうるかもしれない人間であることを患者に示す意図がある。

　第四に，アセスメント・コンサルテーションで話し合った内容（患者の問題，結論，注意喚起等）を文書の形にして患者に手渡すため。特にこのあと，ウエイティング・リストに登録され長い待機時間に入る人や，今この段階では心理療法を行わない決断をした人にとっては，この文書がアセスメント・コンサルテーションの体験を記憶に留める拠り所になりうる。この文書を繰り返し読んで長い待機時間を乗り切ったとか，長い時間が経ったあと「やはり心理療法を」と思い直すきっかけになった例もある。

　なお，紹介者への手紙の複写を患者に送るときは，患者に宛てた簡潔なカバーレターを同封する。言うまでもないかもしれないが，念のため。

Ⅲ　アセスメント・サマリー——将来の自分および同僚への手紙

　アセスメント・サマリーは，アセスメント・コンサルテーションの結果を適切にまとめて記録しておくための書類である。あなたがアセスメント・コンサルテーションを通してその患者をどう理解したのか，まとめて記録する。

　その際に筆者が使用している様式を，参考までに付録2として巻末に示した。これも他の様式同様，それぞれに工夫を重ねバージョンアップしながら活用できる。

この資料を作成することのメリットは以下の通り。

第一に，アセスメント・コンサルテーションの終盤に向けこの資料を作成する過程で，検討し忘れている事柄に気づいたり，患者理解を整理しさらに深めるために活用できる。

第二に，各患者に対しこの書類を作成・保管しておき，心理療法の経過中の折々に読み返すことができる。アセスメント・コンサルテーションと心理療法を同じ心理療法家が担当しているなら，当初の理解・判断を振り返り，考察を重ねたり反省したりできる。アセスメント・コンサルテーションの質や，心理療法の質を，向上させるためにも活用できるだろう。心理療法の長い道のりの途中で，当初の様子を思い出すことが助けになる場面もあるだろう。異なる心理療法家に引き継ぐときも，この資料を引き渡し，同様に折々に読み返してもらうこともできる。

第三に，もしアセスメント・コンサルテーションの末に今は心理療法を始めないことになったとしても，この資料が保管されていれば，将来患者が再度コンタクトを取ってきたときに，経過を理解するための重要な資料になる。自分が担当するにしても，事情があって同僚が担当することになっても，前回の経過を踏まえて対話を再開することが可能になるだろう。特に自分がすでにその組織を去ったあとに患者が戻ってきた場合は，この資料は極めて重要な役割を果たしうる。

ひとりの心理療法家が退職すると，その心理療法家が担当していた患者にまつわる情報が失われる組織があるようだ。必要が生じる都度，退職後の心理療法家に個別に連絡を取り情報を乞う，などの対処でしのいでいる組織があるようだが，さまざまな観点から望ましくない。紹介状とその返事，その他紹介者との通信，患者との通信，患者の来訪情報（年月日，時間，時間通り到着，遅刻・キャンセル状況等），アセスメント・サマリー等の必要情報は患者ごとにまとめ，組織に対して引き継いで残し，適切に厳重保管する必要があるだろう。

たとえばある患者が子ども時代に心理療法を受け，終了後何年も経って長じたのち改めて，当時の良い記憶をもとに心理療法を求め，同じ組織の大人部門にコンタクトを取ってくる例などいくらでもある。

Ⅳ　リスクについて

　精神分析的心理療法をおこなううえで注目すべき各種リスクについては，さまざまな研究が行われている（たとえば Blumenthal et al., 2018 を参照）。
　アセスメント・サマリーには，患者と心理療法をおこなううえで，リスクとなりうるさまざまな項目が確認事項として網羅されている。サマリーの項目をひとつひとつ丁寧になぞりながら，アセスメント・コンサルテーションの各段階で得た情報の中に，うっかり見過ごし，検討し忘れているリスク要因がなかったか，もう一度確認しよう。
　アセスメント・コンサルテーションのひとつの重要な側面は，その時点におけるその患者にもっとも適切と思える治療の総体を検討し，提案することにある。どのような心理療法，もしくはそれ以外の方法を，誰が，どこで，どのように，患者はもちろん，担当者および組織にとっても，より安全により効果的に，つまりより適切に実行し，役に立たせることができるか。
　しつこくて恐縮だが，ここに挙げたリスク項目も，その存在単体で単純に心理療法が可能・不可能の結論に直結するものではない。第5章の観点①～⑤やその他の項目が，それ単体で何らかの結論に直結するものではないのと同様である。そうではなく，より患者の役に立ちそうな治療の総体を組み立てるために，どのような工夫が必要かよく考えるための情報源になるということだ。
　いずれの要因に関しても，精神分析的な観点からその無意識的な意味，隠された動機や葛藤，表現される不安やその他の情動を理解し，これを語り，患者と共有することに努めたい（Winnicott, 1984; Yakely, 2009）。精神分析的心理療法は，そもそも個別の症状の除去を目指すアプローチではなく，患者が真実の自分の姿を理解することを目指すものだ。心理療法家との対話を通じ，患者自身がどういうわけでそうした高リスク行動を繰り返し取らざるを得ないことになったのか，その個別のストーリーを理解するに至ったとき，そして知的で論理的な理解にとどまらず，つくづく心にぐっとくるような，しみじみ情緒を伴う理解に至ったとき，患者はこれらの行動等をやめようという決断を選ぶだろう。それでもいきなりやめることはできまい。長年続けてきたことだ。しか

しやめる方角に向けた、葛藤と逡巡に満ちた試行錯誤の道をたどり始める可能性が拓ける。アセスメント・コンサルテーションにおいては、その道のりを少しでも安全に歩むために、どうすればよいかを考えたいわけだ。そしてとにかく患者の心に届く対話を試みること。これもすでに述べたが、われわれは水晶玉を覗き込む魔術師ではない。

リスクになりうる項目としては、代表的には、以下のようなものが挙げられる（巻末付録2参照）。

1. 自傷行為およびそれに類する行為，希死念慮，自殺企図など

繰り返しおこなわれる自傷行為の存在を見過ごすことはむしろ難しい。患者の方から見せつけてくる場合もある。それに類する、よりマイルドでわかりにくい行為にも注意を払うこと。たとえば危険な状況に意識的・無意識的に身を置いたり、破滅的な結末が容易に予測できる行為に及ぶなど。たとえば、不特定多数の相手と安全でない性行為を繰り返すこともこれに該当する。

> ある女性患者は、厳冬のさなかろくに防寒具も身につけず、夜な夜な公園や路上をふらふら歩き回っていると言った。防寒しないこと、夜の夜中に若い女性がひとり、特別治安がよいわけでもない町を歩き回っていることなど、複数の観点から危険な行為である。

このようにみすみす自分を危険にさらすような行為も、マイルドな自傷行為として理解できる。場合によっては、皮膚を血が滲むほどかきむしるなどの行為も、本項に該当するかもしれない。

自傷行為や自殺企図などの行為の他、さまざまな程度の希死念慮がないか忘れずに確認すること。質問受付票に欄があるし、当該欄に記載がない場合でも、他の情報と考え併せて必要と考えられるなら必ず尋ねること。社会的に特段の問題がないように見える人でも「何のために生きているのかわからない」「自分の人生は一体なんだったのか」「いっそ死んでしまいたい」「消えてしまいたい」と述べる人はとても多い。漠然とした想念に留まらず、死や失踪に向かう具体的な手段や計画があると語る場合は特に、よりリスクが高いと考えること。

「自傷行為・自殺企図などの行為がある場合，心理療法を続けられません」「それらをしないと約束できる場合に限って心理療法を引き受けられます」のような取引は無意味だし，無用の駆け引きに巻き込まれるだけだ。それよりむしろ，このような概念を抱いたり行為に駆り立てる葛藤，情緒，想い等，患者とともに理解に努めると共に，アセスメント・コンサルテーションにおいては，どのような環境であれば安全に抱えることが可能になるか検討すること。程度や状況によるので一概には言えないが，たとえば緊急対応ができず，長い休暇期間もある個人相談機関や学生相談室よりも，救急や入院の施設を備えた医療機関の方が適切であるかもしれない。

2．自分自身に対するネグレクトや摂食障害

健康が損なわれたり，生命の危機を招くのも顧みず，必要な栄養を摂らなかったり，心身の状態に対し必要な治療を受けようとしなかったり，入浴や洗濯等による清潔の維持，掃除等による適切な住居環境の維持，必要な経済的基盤を維持しようとせずむしろ破壊的浪費に走るなど必要最低限の心身のケアを怠る場合，自分自身に対するネグレクトであり，慢性的な自傷行為の類型と考えることができる。医療や社会福祉サービスの介入が必要な場合があるので注意すること。

摂食障害に関しては，身体面のみならず心理面においても，良いものを取り入れなかったり，取り入れたかに見えてあとで嘔吐することが病の特徴であり，心理療法をおこなううえで独特の難しさがある（Sohn, 1985; Lawrence, 2008）。

3．安定した対象関係の欠如，繰り返される治療からのドロップアウト

質問受付票やセッションを通して得た情報から，幼少期からこんにちに至るまで，いかなる対象とも安定的な対象関係を維持できた体験をしていないことがわかる場合，心理療法家とだけ例外的に安定的な関係が構築され維持できると期待するのは，いささか純朴すぎる。心理療法家側の万能感から来る非現実的な願望かもしれないので注意を要する。特にさまざまな治療関係からドロップアウトした経緯がある場合は，今回もまた同じようにドロップアウトする可

能性があると見るのが順当である．ことによると，アセスメント・コンサルテーション中にドロップアウトする可能性さえある．

　患者が心理療法家を"良い対象"としてのみならず，そもそも"対象"として発見し，関係を築き，維持する新しい体験を初めて持ってもらうことができれば素晴らしい．もちろんそうだ．しかし，そこにたどり着くまでに患者と心理療法家が歩むことになるのは，決して平坦な道ではない．長い時間をかけ，共にさまざまな出来事を経た末に，ようやく達成されるかもしれない境地だ．心理療法家側にも相応の覚悟が必要である．信頼，不信，切る，切られる，捨てる，捨てられる，攻撃する，し返すなど，対象関係の構築と維持にまつわる困難は，アセスメント・コンサルテーション中からきっと，転移・逆転移の中に鮮明に現れる．注意深く観察してコメントする．

4．同居の大人や子どもに対する暴力（DV，虐待など）

　患者の同居人に対しDVや虐待など各種暴力が疑われる場合には，適切な対処が求められることは言うまでもない．同居人の安全確保が必要と考えられるときは，紹介者とも連絡を取りあい適切に動く．

　未成年が同居する場合は特に注意すること．すでに述べたように，子どもとその家族の心理療法を専門とする同僚や社会福祉サービスなどに相談し，必要な対処がないか話し合う．スーパーバイザーがいる場合は，必ず相談し，必要な対応がないか話し合うこと．

5．高い衝動性，攻撃性，その他不安時の振る舞い

　不安が高まったとき，どのような振る舞いをする人であるか注目すること．このことは他の項目と密接に関連している．心理療法が始まると不安が高まったり，さまざまな情動が煽られ湧き上がるのは避けられないのだ．不安やその他の情緒に耐えられないとき，衝動的に何らかの問題行動・危険な行動に走ったり，特に攻撃的な振る舞いをして家族や同僚など，関係者や不特定の誰かと衝突したり暴力を振るう患者もいるし，その攻撃性が自分自身に向かい自傷行為や自殺企図に帰着する患者もいる．可能な限り，どういう展開になりそうか観察に基づいて予測し，対策を検討したい．

ある患者は，レストランでたまたま居合わせた見知らぬ客に食べ方を注意され「バカにされた」と感じ激昂した。この患者は幼い頃から「いかなる努力をしようと人々が自分をバカにし見下す」ことに深く傷つき，憤り続けてきた。だから図らずも生じたその出来事にも同様に傷つき激怒し，相手と激しい喧嘩になって，なぜか患者だけ警察に連行されるに至った。結局患者は帰宅したものの，積年の傷つきと怒りはますます強くなった。

6．犯罪歴，触法行為，その他反社会的行為等

　これらの事態が繰り返される患者の場合，自分が自分の組織で安全に，適切に抱えることが可能かよく考えること。

7．アルコールやその他各種薬物の濫用および不適切な使用

　飲酒量や頻度は質問受付票に記入する欄がある。薬物に関しては処方されているもの・処方されていないものの使用状況に関する欄がある。自傷行為や希死念慮とも関連し，これらの項目には必ず目を配ること。記入がない場合も，その他の事情と考え合わせて必要と考えるなら，尋ねて確認すること。
　毎日継続的に大量に飲酒していたり，各種サプリメントやハーブ類，市販薬から違法薬物に至るまで，さまざまなものをあれこれ摂っている例は決して少なくない。その意味するところについて考えるとともに，危険な状況であると考えるなら，紹介者とも相談し必要な対応を検討すること。
　他の項目同様，これらの行動や使用があるからといって必ずしも一概に心理療法は役に他立たないというわけではないが，慎重に検討したい（Rosenfeld, 1960, 1964; Bower et al., 2013; Verma & Vijayakrishnan, 2018）。たとえば Alcoholic Anonymous（AA），Drug Addiction Rehabilitation Centre（DARC）など各種専門サポート・グループと心理療法の併用や，依存症専門治療機関への紹介も検討したいところだ。

8．精神科等への入院歴

　過去に心理的ブレイクダウン等により精神科病院等に入院した経歴がある患者は，心理療法の経過中に再びそのような状態に退行し，入院治療が必要にな

る可能性がある。その場合，最初から入院施設がある医療機関で心理療法をおこなうことが必要かもしれないし，少なくとも，そうなった場合に連携できる医療機関を確保しておくことが適切かもしれない。

9．現在進行形の身体疾患・精神疾患

現在進行形の身体疾患や急性期の精神疾患がある場合は，それらの治療が優先であろう。安全の確保が何より重要だ。それらの治療を担当している医療機関で，平行して心理療法をおこなうことが適切な場合があるかもしれない。疾患の内容如何では，急性期を脱したあとに，連携を保ちながら，身体疾患の治療機関とは別の機関で心理療法をおこなうこともあるかもしれない。

10．社会からの孤立

患者が社会から完全に孤立し，誰ともどんなつながりも有さない患者と個人心理療法を始めると，患者にとって心理療法が，そして心理療法家との一対一の関係が人生のすべてと化し，お互いに身動きが取れなくなる。さらに，このセッションから次のセッションまで，患者はたったひとりになってしまう。この患者が不安や諸々の情緒に耐えることができなかったり，衝動性や攻撃性が高まるなどの特徴がある場合，あるいは希死念慮や自傷行為，自分自身に対するネグレクトなどの問題行動がある場合，特に大変危険である。心理療法家も，安心して心理療法に集中することが難しい状況になるだろう。

このような患者の場合，心理療法を単体で始めるのではなく，たとえばデイケアや地域のサポート・グループのようなリソース，あるいは社会福祉サービスなどにもつながることができないか，紹介者とともに考えることも有意義だろうし，個人療法ではなくグループ療法も提案できるかもしれない。

心理療法家の側にも心理療法家を支える社会的リソース，たとえば信頼できる同僚やスーパーバイザーなどをぜひとも確保したい。さもなければこの世に本当にたった二人きり，人の出入りなく時間も流れない閉塞空間に閉じ込められてしまう。

第Ⅲ部

アセスメント・コンサルテーションの実践

第 7 章
アセスメントの限界について

　アセスメント・コンサルテーションをおこなえば，その後一切何の問題もなく心理療法の日々を歩んでいけるかといえば，残念ながらそのようなことはない。ここまで本書を読み進んできた果てにこんなことを言われると，がっかりするかもしれない。しかしそれが真実である。
　本章では，アセスメント・コンサルテーションの限界について検討してみよう。

I　アセスメント・コンサルテーションの限界

　どんなに経験豊かな心理療法家が，どんなに丁寧にアセスメント・コンサルテーションをおこなっても，ひとりの患者を理解し尽くすことはできない。心理療法を始めてからようやく明らかになる事実や特徴もある。その理由をいくつか述べる。
　第一に，そもそもひとりの人間が別の人間を理解し尽くすことは不可能だ。それも 1 セッション 50 分をたった数回繰り返し，言葉を交わしただけで，これまでの人生を踏まえ何もかもを理解するなど無理である。
　もちろんあらゆる情報やセッションでの対話などを踏まえて，患者についての"絵"を描こうと試みるし，それをできるだけ確かな"絵"にするべく努力を続ける。しかしアセスメント・コンサルテーションでたどり着けるのは，あくまでもその時点の患者に関するその時点で最善の仮説（その時点におけるスナップショット）である。そこから先は，心理療法の過程で，だんだんとそれ

を書き換え続けてゆくことになる。そもそも人は変わる。患者は静止画（スナップショット）ではなく動画なのだ（本書 p.133,「継時的変化」の項を参照）。

　第二に，アセスメント・コンサルテーションと心理療法は異なる。

　アセスメント・コンサルテーションは，心理療法家にとってだけでなく患者にとってもタスクが明確である。つまりそれは，今この時点で，患者にとって何らかの心理療法が役に立ちそうか，立つとするならどのような心理療法をどこでどのようにおこなうのがもっとも役に立ちそうかを，検討し話し合い結論にたどり着くことである。

　このようなタスクの明瞭さに対する患者の反応はさまざまだ。ある種の患者は安心を，ある種の患者は不自由さを感じる。アセスメント・コンサルテーションを直ちに心理療法に変えてしまおうとする患者もいるし，心理療法が始まってその明瞭なタスクが失われたときに戸惑いを覚える患者もいる。

　心理療法家の態度も，アセスメント・コンサルテーションと心理療法では少なからず異なる。アセスメント・コンサルテーションで心理療法家は，患者の無意識的側面や二者間の情緒交流や転移・逆転移に注目し続けるし，転移解釈を通して患者に語りかける。その点では精神分析的心理療法における態度と同様だが，それにしてもやはり，足らない情報を直接尋ねるなど，より直接的・積極的に動くところが大きい。その違いに不安を感じ困惑する患者もいる。

　第三に，前項とも関連するが，患者と心理療法家の双方が「モチベーションの高さ」に惑わされる場合がある。

　なかには，とにかく何が何でも心理療法を得ると心に決めたうえでアセスメント・コンサルテーションに現れ，その目標に向け邁進する患者がいる。彼らにとって，アセスメント・コンサルテーションは絶対に合格したいテスト，絶対に通過したい関門である。目標に向け，さまざまに言葉を尽くして訴える切実さは率直に心理療法家の胸を打ち，「モチベーションの高さ」を基盤に引き受けることを考え始めるかもしれない。しかしその前に，その「モチベーション」の真の意味，それを持つに至る背景を理解しようとすることを忘れないようにしたい。患者はなぜ「何が何でも心理療法を得る」と決意したのだろう？　身近な重要人物の意向によるものか？　そもそも心理療法を一体どのようなものであると理解しているのだろう？　心理療法を救いの魔法（「これさえ手に

入れれば万事大丈夫」）と空想しているのか？　すがるべき最後の藁（「これが手に入らなければ，もうあとがない」）なのか？　それともある種のリベンジだろうか？

　このような患者と心理療法家のやりとりに目を向けると，実は二人の間に深い断絶があって，心理療法家の語りかけが患者の心に何ら影響を及ぼしえていないことがわかる場合もある。患者が自分ひとりで，自分の世界の中だけで決意し，完結しているのだ。この状態のまま心理療法を引き受けると，その後二人とも「こんなはずではなかった」とがっかりしたり，心理的接触を持てず四苦八苦したりする展開になるかもしれない。

　第四に，アセスメント・コンサルテーションは短期的で一時的な関係として体験される場合がある。

　アセスメント・コンサルテーションとその後の心理療法を，異なる心理療法家が担当することが明らかである場合は特に，アセスメント・コンサルテーションの中で多くを語ることを拒否する患者がいるのも頷けなくもない。

　実際たとえば，受付質問票に「心理療法が始まったら話します」と書いてくる患者もいるし，アセスメント・コンサルテーションの中でも「これは一時的な付き合いだから重要なことは話せない」とはっきり述べる患者もいる。このような例においては「どうせいなくなる相手とは，大事なことを話すどころか関わりを持つ意味さえない」こと，それに伴って湧き上がる不信，怒り，絶望などについて語りあうことが役に立つかもしれない。

　ちなみに患者のこうした反応は，もちろんその患者の世界観を反映していて，他のあらゆるやりとり同様，その患者の特徴を現すものである。心理療法が始まってからも折々に"別れ"はやってくる。たとえばやがてくる心理療法そのものの終わり，予告された長期休みや祝日，不測の事態に伴う予期せぬ休み，あるいはひとつのセッションの終わり。そのひとつひとつが患者にとって，二人の結びつきが毎度引きちぎられ「意味がない」に還元されるような，難しい絶望の体験になることを示しているかもしれない。

Ⅱ 担当者を変えるかどうかにまつわるあれこれ

　アセスメント・コンサルテーションと心理療法の本編を，同じ心理療法家が担当するか，異なる心理療法家が担当するかにはそれぞれ一長一短あって，一考の価値がある。
　もし組織内に存在する心理療法家がたったひとりであるなら，そのひとりが何もかもを担う以外の道はない。しかしそうでないなら，異なる心理療法家が担当する選択肢があるし，むしろさまざまな現実的理由のために，自ずと異なる心理療法家が担当することになる場合もあるだろう。
　たとえば大学院附属の心理臨床センターや育成・訓練機能も担う組織では，インテイクおよびアセスメント・コンサルテーションを中堅以上の（管理職の）心理療法家が担当し，チーム内の検討会を経て，比較的経験が浅い若手の者を含む他のメンバーが心理療法を担当することになるだろう。

1．担当者を変えない場合

　アセスメント・コンサルテーションで築かれた関係性が，心理療法においても同一人物と継続できるのは大きなメリットである。しかし上述のように，両フェーズでは心理療法家の態度に若干の違いがあり，少なくとも心理療法開始当初はお互いにやりにくい面もあるのはデメリットだ。
　また，ひとりの心理療法家が有する週あたりのセッション数には上限がある。何もかもひとりで引き受けていると，自ずと引き受けられる人数は大幅に限られるのはデメリットかもしれない。

2．担当者を変える場合

　アセスメント・コンサルテーションが，一時的・短期的な関係であるととらえられ，患者の挙動に制限がかかる場合があるのはデメリットだが，このこと自体を患者の特徴の現れとして理解し，率直に話し合うなら，デメリットをむしろ患者理解を深める素材として活用し，メリットに転じさせることができる。

特に，重要な対象に見捨てられたり離別したりしたことがトラウマティックな体験となっている患者が，アセスメント・コンサルテーションの終わりに，またしても患者を見捨て，離別を体験させる心理療法家に対して鮮やかな怒りや憎しみを抱き，アセスメント・コンサルテーションから心理療法への移行に困難を感じるのは無理もないことだ。
　このような状況は心理療法家にも罪悪感や良心の呵責を感じさせるものだが，だからといって何のコメントもせずやり過ごすのは，心理療法家の臆病さの現れである。このような局面では，患者の怒りや憎しみに理解を示すとともに，心理療法家にまたしても見捨てられ離別させられること，心理療法家は患者の痛みを理解しているからこそむしろ罪が重いこと，患者の人生では同じような見捨てられと離別が繰り返されていて，患者が未だ深く傷つき続けていること，このことが心理療法において考えてみたい事柄のひとつであること等，患者と直接に語りあうことから逃げないことが重要だ。
　このような対話の積み重ねによってこそ，患者が新しい種類の，悲劇だけに留まらない別れを体験できる可能性が拓ける。
　担当者を変えた場合，心理療法本編を担当する心理療法家も，担当者が変わったことにまつわるさまざまな想いについて，セッションの中で繰り返し取り上げること。
　アセスメント・コンサルテーションの担当者と心理療法の担当者の関係性について，患者はさまざまな空想を抱く。大変興味深いと同時に，時に心理療法家の心をさまざまに刺激するものでもある。
　以下は，ある心理療法担当者の語り。

　患者は，アセスメント・コンサルテーションを担当したＡ氏が，私の上司であると受け止めているようだった。本当はＡ氏と私は完全に対等な同僚なのに。入職時期という観点で言うなら，むしろ私の方が先輩でさえある。不愉快だ。そう感じている自覚はある。しかしそれよりもっと不愉快なのは，患者が，Ａ氏とのセッションのあとはひどい蕁麻疹になったのに，私のときは全然そうならないと言うこと。まるで患者の心の，私には立ち入ることができない領域にＡ氏は立ち入ることができる，蕁麻疹を引き起こすことができると

言わんばかりではないか！

　三者の間で妙な転移・逆転移が巻き起こっているのがわかる。このような状況は苦しいものだが，どのようなわけで何が起こっているのか，いつもまっすぐ見つめ続け理解しようとする姿勢を保ちたいものである。

第8章
どのようにアセスメントの質を向上させていけるか

しばしば「どのように自分がアセスメント・コンサルテーションをおこなえるようになり，その質を向上させていけるのか？」という質問を受ける。

簡潔に答えるなら「スーパービジョンを受けつつ，経験を積み重ね続けること」であるが，それでは素っ気なさすぎるようにも思うので，もう少し考えてみよう。

I　スーパービジョンを受けながらの継続

本書のような書籍や文献を読むことは確かに大事だが，精神分析的心理療法そのものと同様，アセスメント・コンサルテーションはある種の実技である。教本を読んだだけで泳げるようにならないのと同じように，実践の積み重ねなくしては体得できない。知識やルールを詰め込んだだけでは現場で動けない。スーパービジョンを受けながらの実践を継続することが不可欠な所以である。

アセスメント・コンサルテーションは，複数の事柄を多角的な観点からリアルタイムで観察・検討・判断を積み重ねてゆく複雑なものなので，基本的には心理療法の経験をある程度持つ者がおこなう。しかしその原則にあまりにもこだわりすぎると，比較的経験の浅い人々は未来永劫「実践の継続」のスタートラインにすら立てなくなってしまう。心理療法そのものの経験はあっても，本書で述べたようなアセスメント・コンサルテーションの経験がない場合もあるだろう。

これを打開する策が，スーパービジョンを受けながら実践をおこなうことだ。

具体的には，ひとつひとつのセッションについて，ああ言ったこう言ったのやりとり，ああ思ったこう感じたの転移・逆転移などを丁寧に記録し，それを持ってスーパービジョンを受ける。スーパーバイザーとともにあれこれディスカッションをし，その内容をあとでよく考え直し咀嚼して，次のセッションに向かう。これを繰り返していく中で，どのように考えどのように動けばよいのか，だんだんと体得されてくるだろう。

　これをどのくらい続ければよいかは，人によるとしかいいようがない。人が何かを体得する速度や，そもそも体得できるかできないかには個人的な多様な要素が絡んでいる。あくまでも参考までにいうなら，筆者がアセスメント・コンサルテーションを叩き込まれた時代の訓練過程においては，30例以上というのが一応最低ラインの目安として設定されていたが，これは本当にただの目安，より正確にいうなら便宜上の目安数値にすぎない。そのくらいやって，ようやくスタートライン程度の感覚でもある。たとえばGarelick (1994) は論文執筆時点で2,000例もの実践を積み重ねてきたといい，ひとつのことを誠実にものにしてゆく道のりの途方もなさを思う。この途方もなさから逃げずに取り組み続けていったその先に，光が見えてくる可能性があるのだと思う。

II　自分で考えること

　ひと昔前，キャラクターに言葉を覚えさせて語彙を増やし，会話のようなものをさせて楽しむビデオゲームがあったが，ちょうどそんなふうに，どこかで読んだことや"先生"に言われたことを鵜呑みにし，パターンマッチングして再生して済ませていないだろうか。一生懸命ノートを取って満足していないだろうか。そのようにして記憶しただけの知識は現場で使えない。不安や緊張が渦巻き，転移・逆転移のドラム式洗濯機に二人でぶち込まれたようなセッションの最中には，下手したら詰め込んだ記憶を想起することすらできまい。自分の頭と心で繰り返し考えて咀嚼し，頭から血肉にまで降ろしてきて初めて，現場で，生きた状態で活用できる自分のものになる。

Ⅲ　反省会と「筋トレ」

　ひとりで反省会を開く。机にかじりついてでなくてもよい。むしろそうでない方がよいとさえ思う。たとえば帰り道をとぼとぼ歩きながら，あるいは猫背でグラスを握りしめながら，今日いちにち，朝から晩までのセッションをとりとめなく振り返るのだ。心に蘇るのは「あれは失敗だった」「うまくなかった」と思うコメントのひとつやふたつ，ことによるともっとたくさん。時に悔しさや悲しさや，時に挫折感や劣等感や，時に虚しさや腹立ちが立ちのぼってくる。どうすればよかっただろう。どう言えば患者にもっと的確に伝わっただろう。もっとまっすぐ，もっと深く。
　どう言えばよかったか，その具体的なアイディアを実際に口に出して言ってみる。
　言っている最中につっかえてしまうなら，それはまだどこかから借りた他人の言葉にすぎないのかもしれない。十分自分の心から生まれ出ていないかもしれない。
　耳で聴いて理解できるか。目で読んで理解できる文章でも，発音して耳だけで聴いていると全然意味が掴み取れないことがある。ましてや不安や恐怖でドキドキしているとき，装飾的でややこしい長文が心に届くだろうか。たとえば複雑な文章構造。画数の多い熟語。いらない専門用語。そういうものが生きたものとして心に届くだろうか。
　自分がいま思い浮かべているその特定の患者にきっと伝わるだろうと思えるまで，メッセージそのものを練り直し，言葉を差し替え，語順を入れ替え，抑揚も変えてみる。そういう試行錯誤を綿々と続ける。よし，次回はこうしてみようという確信が得られるまで。場合によってはいったん眠って，夢の中にヒントが現れることもある。
　こうして試行錯誤をしたとしても，翌日以降のセッションでまったく同じ文脈で同じ場面に行き当たることはない。それはそうだ。だからこんな練習をしても無駄かといえば，そんなことは全然ない。俳優はいきなり本番の舞台に登ったりはしないし，スポーツ選手もいきなり試合当日を迎えるわけではない。本

番前にこつこつと，発声練習をし，筋トレをし，走り込み，動き方やフォームの試行錯誤を繰り返しているだろう。われわれにとってはここに書いた試行錯誤が「筋トレ」にあたると思う。まったく同じ場面はなくても，似たような場面は訪れる。全然違う場面でも，このような地道な「筋トレ」を経たのと経ないのとでは，心の動き方が全然違うのがきっと我ながらわかるだろう。結局は実際に，そして心の中でも，どれだけその患者と真剣に語り合ったか。それがとても大事なのだと思う。

Ⅳ　自分の心に触れ続ける

　転移と逆転移は常にセットである。心理療法家が逆転移を，つまり自らがいま何を感じ何を体験しているのかを察知し，理解することなくして転移を，つまり患者の体験を理解することは難しい。今まさにやりとりされている事象の熱さを，熱いまま察知することも難しい。錆びて鈍い包丁で繊細な料理は作れまい。あまりに長いマジックハンドでは，小さなパールをひとつ拾い上げることはできまい。

　そもそも自分が自分の心に触れようと思わないのに，患者には触れさせるというのは，"職業人としての倫理的清廉潔白さ"という意味で受け入れられることとは思えない。少なくとも筆者にとっては。

　必ずしも人間のすべてが己の心に触れ続け，感情や情緒を体験し続けなければならないなどという，尊大な考えはもちろん持っていない。心に触れない生き方は世の中にいくらでもある。それらもまた，かけがえのない大事な生き方だ。しかし心理療法を生業とする者は，自分自身の心に触れ続ける種類の人間である必要がある。そうでないのなら生き方の選択を誤っていると思うのだ。

　どうしたら自分の心に触れ続けることが可能になるだろう？

　フロイトは盟友フリースと手紙をやりとりしたり（Masson, 1985），自分の夢を検討したり，大量の論文を書いたりという活動を通し，自分で自分を精神分析した（これを自己分析という）。こういう方法で己の心に（ひいては心一般に）触れ，探索し，理解を深め続けていったが，このやり方は率直にいって容易ではない。無意識の中に自力で分け入って，そこに何があるのかまっすぐ

見回し続けることができるなら，単純な話，専門家が存在する必要などない。

　フロイトは天才であったから，このようにやり通すことができた。それと同時に，ファーストランナーであったから，こうするより他になかった。彼のように天才ではない，普通の一般人であるわれわれには，幸い同業の諸先輩方がいる。素直に専門家の手を借り，精神分析ないしは精神分析的心理療法を受けるといいと思う。

　職業倫理的観点からとか，専門技術を向上させるためとか，最初はそんな理由で心理療法家の門を叩くかもしれない。しかし本書で述べたような，しっかりしたアセスメント・コンサルテーションを受ければたちまち，そんなのは単なる建前にすぎず，あるいは意識的側面にすぎず，本当には自分は患者であり，困っていて，ひとりの人間として治療を求めていたのだということが明らかになるだろう。精神分析的心理療法で生きるなどという道を選ぶようなわれわれは誰も，多かれ少なかれ心に病を抱え，日々七転八倒している。ある意味，その病は入場切符のようなものなのだろう。切符を持って入場し，そのあとどうなるかは，各人の切実さと努力と忍耐と運にかかっていると思う。

V　専門外の諸々に触れる——寄り道

　勉強熱心さはある種の美徳だし，一心不乱に打ち込む時期も不可欠であろうが，この世の中には，自分がこれと定めた"専門分野"以外の森羅万象が存在する。そうしたあれこれにも好奇心を持てばよいのにと思うことがある。

　たとえば大学院修士課程の学生や，修了したての若い人などで，自分は精神分析的な（あるいは他の）何々学派の心理療法でやっていくと迷いなく心に定め，それ以外の情報に一切触れようとしなかったり，学びや体験の機会がすぐそばにあっても一切拒絶する姿を目にする。熱心なのは大変素晴らしいことだし，信念を持ってまっすぐ進む姿は眩しくもあるが，自分が進む道などというものは10代や20代で簡単にわかるものでもあるまい。チャンスは永遠に訪れ続けるものではないし，若いうちあれこれ体験して好きなだけ迷えばよいのにと思ったりする。

　自分と同じ専門性の者だけでまとまって，あるいは特に単独で仕事をしてい

ると，協力しあって任務にあたるかもしれない他職種・他専門の人々の様子を見失ってしまう。そんなときには，たとえば大型書店で一見関係なさそうな専門以外の書棚もブラウズしてみることを提案したい。馴染みのない分野の思いがけないものに触れることは根本的に興味深いことだし，人々がどんなことを考えているのか発見したり思い出したりするのも刺激になる。

　仕事に直接関係しないことでも，何にでも好奇心を持って体験したいものだ。生活を維持するための諸々の家事，育児，家族や旧友との交流や衝突，旅に出て道に迷うことから諸々の娯楽まで，そして離別や挫折の痛みさえも，人と会ってコミュニケーションすることが生業である心理療法家にとって，無駄になるものは何ひとつない。ありがたいことだ。

第9章 事　例
──アセスメント・コンサルテーションの実際──

　アセスメント・コンサルテーションが実際どのように進むか，本文中に小さな例をたくさん引用しつつ述べたので，だいたい想像していただけているのではないかと思う。
　最後にまとまった事例を紹介して本書を終わりにしたい。
　なお，最初に述べたように，この事例もまた，患者のプライバシーおよび名誉の保護の観点から，本人を特定できる可能性がある情報を削除したり，検討に差し支えない範囲で事実関係を改変し，構成し直したものである。

I　ご紹介

　患者はAさん，中年の女性で既婚。5人きょうだいの中で，ひとりだけ歳が離れた末子。紹介状に記載された主訴は「抑うつ状態」。専業（プロ）の芸術家だが，主訴のため現在休業中である。
　Aさんは数年来のかかりつけ医から紹介されてきた。紹介状は比較的情報量も多く，丁寧に書かれていて，医師がAさんに対し熱心さを持って接していることが伝わってくる。そのような熱心さを人にひき起こさせる何かが，Aさんにあるのかもしれない。
　その紹介状によれば，Aさんは数年以上にわたって「抑うつ状態」にあり，複数種類の抗うつ薬と，短期CBTを試したが顕著な改善はない。今回はより長期的な精神分析的心理療法の検討を希望してのご紹介である。医師の記述によれば，この「抑うつ状態」は更年期症状の一部であろうことと，最近母が亡

くなった影響であろう,とのこと。

II 受付質問票の受け渡しとその内容

　まずアセスメント・コンサルテーションをおこなうことにして,連絡して初回セッションの予約を取るとともに,受付質問票を渡した。ここまで際立った問題や特徴はない。
　ほどなく返ってきた受付質問票は綺麗な手書き文字で丁寧に書き込まれていて,読み手に伝えたいという意志がひしひしと伝わってくる。一見して私はAさんに好感と関心を抱いた。おそらく医師に対しても似たような感情を抱かせ,それがあの丁寧な紹介状に結びついているのだろう。丁寧に接したいという気持ちを相手に抱かせる力がある人だと思った。
　記載された内容から今のところ形作られたAさんの姿は次のようなもの。
　Aさんの物語は父母の出会いに遡る。Aさんの母はある地方都市の,伝統的宗教を信仰する,比較的裕福な家庭の人。父は別の地方都市の,宗教的背景はない,比較的貧しい家庭の人。さまざまな偶然が重なって二人は出会い,恋に落ちたが,宗教的・経済的背景の違いから両親に祝福されず,最終的に駆け落ちし,縁もゆかりもない遠くの都会の街で生きてゆくことになった。生活は苦しかったが,子どもがつぎつぎ生まれた。Aさんは,その年が離れた末子である。
　助けてくれる親類縁者も知人もなく,母は情緒不安定だった。Aさんは,ひとり泣き暮れる母の姿を覚えている。父は暴力こそ振るわなかったが言葉が荒く,短気で,家族は父の顔色を見て過ごしていた。母方の宗教の教えはAさんら子どもたちにも影響を及ぼし続け,それによれば「女の子はおとなしく家事をし,従順に,両親に従わなければならない」のだった。
　反発するようにAさんは高校を中退し,10代の終わりに家出して結婚。2児をもうけるとともに,専業の芸術家としての道を歩み始めた。じきに離婚したが,この離婚についてAさんは罪悪感を抱いていて,未だに悪夢に見る。とはいえ子どもたちはすでに成人して自立したし,記入された経歴を見る限り,芸術家として成功を収めたといえる。数年前には現在の夫と再婚。職人で,A

さんを支えてくれる優しい人だそうだ。

　ところが数年前に，母が亡くなった。そのあと立て続けに「大事な人」が3人亡くなった。それが誰かは今のところ明かされていない。加えて更年期である。もともとあった「抑うつ状態」が悪化して創作活動ができなくなった。そのため現在休業中である。

　しかしボランティア活動だけは続けている。ある特定の不遇な状況にある女性を対象とするサポート施設で，利用者たちの語りに耳を傾けるボランティア。ちなみにその施設は，母が信仰していた宗教団体が運営するものである。

　希死念慮はないし，自傷行為およびそれに類する行為もない。しかし「自分の人生は一体なんだったんだろう」と考えてしまう。毎晩ワインを半瓶開けているようだ。若干飲み過ぎである。処方される抗うつ剤以外には飲んでいる薬はない。

　CBT は役に立った側面もあるが，とにかく短期的すぎてどうにもならなかったと思っている。もう少し長期的に話を聞いてもらえる場所を求めているとのことであった。

　さて，このような情報を持って，いよいよ私は A さんに会う運びとなった。

Ⅲ　第1セッション

　A さんは予約時間ちょうどに現れた。小柄で，引き締まった身体に，真っ白な服をまとっている。こざっぱりしたショートヘアもほぼ真っ白で，そこにブルーのバングルをひとつ。お洒落である。流石芸術家，と私は好ましく思った。穏やかな微笑みを浮かべて，感じがよい。受付質問票から想像した通りの人である。

　しかしいざセッションが始まってみると，A さんはとても不安げで，怯えていて，自信がなさそうで，警戒していることに気づかされる。A さんは「喋ってもいいですか？」と私に許可を求めずにはいられない。それなのに，その語調には明らかに怒りも含まれている。

　彼女は小さな声で状況を述べ始める。その説明はわかりやすい。説明の内容と併せて，彼女がいろいろな意味で真っ二つに分かれていることも伝わってく

る。私はそのことについてコメントすることから始めた。

「一方では，何が起こっているのか私に論理的に話してくれるあなたがいますね。でももう一方で，とても不安で怖がっているあなたもいますよね。その二人のあなたは，お互いから遠く遠くに離れているみたいですね」

Aさんはこのコメントを理解し，応えて，自分は離婚以降ずっと恐怖と罪悪感がつきまとっていて早朝4時に目が覚めてしまうし，2種類の夢を繰り返し見てよく眠れないと言い，自分からその夢について語った。それはこんな夢。

【夢1】鍵をなくす。地図をなくす。財布をなくす。子どもたちをなくす。それらがなくなってしまったのは，私の責任だ。
【夢2】私は旅をしている。何もかもを置き去りにしてきてしまったようだ。たとえば，ホテルの部屋に。そのせいで他の人たちに迷惑がかかる。

大切なものを置き去りにしてなくしてしまう恐怖と，自分の傷つきよりも人に迷惑をかける罪悪感がまざまざと表された夢であること，彼女の人生はまさにそんなふうに，大事なものを置き去りにし，置き去りにされ，なくし，なくされ，恐怖と罪悪感に怯え続けるものだっただろうと，私たち二人は話し合った。

さて，Aさんの特徴だと私が考えたのは，次のようなことだ。

第一に，Aさんは上記のような私のコメントを直ちに難なく理解する。CBTを受け，自分について考える経験があったとはいえ，自分の心に関心のある人なのだろう。

第二に，罪悪感の著しさについて我ながら苦しいと感じている。その理不尽さは自覚しているし，夫にも指摘されているとAさんは言った。それなのに，苦しさを感じるやいなや，まるで返す刀のようにして，すぐに「今，ここにいることにも罪悪感があります。あなたの時間を無駄にしているんじゃないかと思って」と言い，しっかりと罪悪感に包まれ直してしまう。この罪悪感は簡単には手放せるものではなさそうだ。

この強固な罪悪感は，ひとつには母方の宗教に端を発するものであり（「女の子はおとなしく家事をし，従順に両親に従わなければならない」——そしてこの宗教において離婚は罪である），ふたつには親を捨て駆け落ちした母から受け継いだ母の罪悪感であり，三つには思春期の頃，母のたどった道をなぞるように家出し結婚し子を成したＡさん自身の罪悪感でもあって，とても根深く歴史の長い罪悪感である。

　第三に，Ａさんは私の転移解釈に対し，たびたび「そういうことを言ったカウンセラーは過去にもいたが，同じような話を何度も繰り返すだけで，そこから先に進めない」と怒気を込めて言った。心理療法というもの，つまり，うまいことを言っても結局Ａさんを助けない者に対するＡさんの怒りは，語調の中にはっきり漏れ出しているように私には見えた。しかし少なくとも第１セッションにおいては，Ａさんはこれを隠蔽しようとしていたようだった。

　Ａさんはきょうだいの中で自分ひとりが心理療法を必要としているのは，自分だけがことさらに弱いからではないかと疑っていた。きょうだい同様，自分も弱くないし，何ら問題を抱えていないと信じ込みたがっていた。そのためＡさんは心の傷つきを，たとえば「更年期障害」のように身体症状に限局して理解したり，本やインターネットで対策を調べ，知的な理解を得，論理的に説明することで乗り切ろうとしていた。

　さらに自分の問題を第三者に投影し，問題を抱えているのは自分ではなく他の人であるということにしようとした。その特徴が顕著に現れているのがボランティア活動である。

　Ａさんはこのように語った。

「利用者たちの話を聴いてると，彼らは一体なんて悲惨な人生を送ってきたんだろうって驚きますよ。でも私にとってはすごく心地いいんです。そこの人たちはみんないい人で，安定していて親切で。あの人たちと話してると，ほっとするんです」

　現実には，サポート施設で利用者たちの大変な話を聴くボランティアがＡさんである。しかし，語りの途中からそれがねじれていくのがわかる。私はそ

のことを指摘しようと思い，こんなふうに語りかけた。

　「私はね，そういう場所を必要としてるのは実際のところ誰だろうなって思うんですよ。心地よくて，安全な，落ち着いていられる場所。話に耳を傾けてくれる，親切な人がいる場所」

　そうすると彼女は頷いて，私たち二人の間にしんみりとした空気が流れるのだった。
　現実には，大変な人生を送ってきた利用者たちの身の上話を聴くボランティアはAさんであるが，心の中では違う。驚くような大変な人生を送ってきたのは本当はAさんだ。「心地いい」施設で，「いい人で，安定していて親切」な人たちに身の上話を聴いてもらう。それを切望しているのは本当はAさんだ。そしてこれはサポート施設の話であるし，心理療法の話でもある。驚くような大変な人生を送ってきたAさんが，安定していて親切な私に耳を傾けてもらう場所。
　私がAさんの話をこのように理解した，と語りかけると，Aさんはそれをすんなり受け取って，しみじみと味わうのだった。
　Aさんは，私とここでなら，自分ひとりでは踏み込めないような心の奥底に入っていけるかもしれないという期待を口にした。かつて体験した短期的心理療法ではどうにもならなかったから，今度こそどうかここで助けてほしいと訴えた。とても切実な，心からの願いで，私の心も痛んだ。Aさんはこんなふうに言った。

　「私，何か新しいことをしたいんです。このままではいられない。思春期のとき，きょうだいが独立して家を出て行ってしまってから，すっかり変わってしまったんです。すごくつらくて。それからずっと私はいつも怒っていて混乱していた。……それ以上は無理です，思い出せません。……何かこう，私，その頃のことを思い出そうとすると，クシャっと潰されちゃったみたいな感じになって」

そう語りながら，Ａさんは自分でも驚くほど泣きじゃくった。そんなふうに泣いてしまうのは，やはり自分の弱さのせいだと言って動揺していた。その動揺を打ち消すために，こみ上げてくる助けてという叫びを飲みくだし，消してしまおうと試みた。それは咽喉に走る痛みとして表れた。そのようにＡさんは，心の世界に足を踏み入れたいという切望と，足を踏み入れることの苦しさの両方を痛烈に味わっていた。

　Ａさんは私に，まるで催眠療法師のように「お任せあれ」と言い切ってほしいと願ったが，そんなことを私が言うはずもないとわかってもいた。安請けあいをしない私をＡさんは恐れたし，それと同時に，これまでＡさんを助け損ねてきた「カウンセリング」に対する怒りと不信も拭えなかった。しかし，今度こそ私となら新しい体験ができるかもしれないという期待も，確かに感じているようだった。

Ⅳ　第2セッション

　第1セッションはＡさんに大きな影響を及ぼしたようだった。

　Ａさんは白づくめの前回と打って変わって，青いシャツにベージュのチノパンをまとってカラフルであり，まるで血の気が通ったような印象だった。前セッションが彼女に血の気を通わせるような"良いもの"であったと示唆しているようだった。

　しかし，彼女は動揺してもいた。

　そもそもＡさんは第2セッションに10分近く遅刻した。到着したＡさんはおろおろしていて，経緯を説明する口調もどぎまぎと乱れている。何度も何度も詫びながら，Ａさんはこんなふうに言った。

　「妙なことが起こったんです。朝ごはんを食べて，準備万端でラジオを聴いていたら，なぜか時間がわからなくなってしまって。夫が『時間気がついている？』って……なんて大変なことをしてしまったんでしょう，本当にごめんなさい。こういうこと，ときどきあるんです。こうやって私の人生をだめにしてしまっているんだって，今日，あなたに言わなくちゃって，ちょうど思ってた

んです。そうしたら……」

　Ａさんは堰を切ったように泣き出して，結局このセッションの間，泣きやむことはなかった。悲しみやら落胆やら絶望やらがごちゃ混ぜになってあふれ出し，目の前のテーブルからティッシュを取ってひっきりなしに涙を拭くが，その丸めたティッシュをテーブルに戻すこともゴミ箱に捨てることもできず，片手に固く握りしめている。つぎつぎにティッシュを使って全部握りしめているので，やがて持ちきれなくなってティッシュが手から転げ落ちる。彼女はそれを拾い上げては握り直す。心から転がり落ちるさまざまな感情を，小さな手でぎゅっと握りしめている心細げな幼いＡさんの姿が，私の心に浮かんでいた。それがＡさんの姿なのだろう，と私は思った。
　前セッションから今日に至るまで，Ａさんは動揺して過ごしたようだった。たとえばこんなことがあった。

　　ボランティア先のサポート施設で，ある利用者の話に耳を傾けていた。その利用者の，とても悲しい身の上話。途中からＡさんは時間の感覚がわからなくなって，ふと気づくと午後中ずっとその人の話を聴いていたらしい。終業時間がきて，管理スタッフに「大変でしたね，疲れたでしょ」と声をかけられたが，Ａさんは全然ぴんとこなかった。ところがその帰り道，いつもの電車を何度も何度も乗り間違え，乗り過ごし，さっぱり自宅にたどり着けない。ようやく帰り着いたと思えば，ぐだぐだに疲れて，自分がなぜ，何にそんなに疲労困憊しているか理解さえできず，混乱し，夫に話しかけられても答えることもできず，早々に寝てしまった。

　私にはこのエピソードは本当にＡさんらしいと思えて，こうコメントした。

　「とても強い感情が湧いてきたとき，その感情はとても強くて，あなたを圧倒し，支配してしまうみたいですね。その現場を立ち去って初めて，あなたは何か強い感情があったのだと気づきはするけれど，それがどんな感情だったかは考えることはできない。ただひたすらに圧倒されて，混乱してしまいますね」

今日遅刻したことも，サポート施設でのエピソードも，前回セッションで，利用者だか自分だか，ごちゃごちゃになって入れ替わることを話し合った余波なのだと私は思った。もしAさんが心理療法を始め，本当に自分の心の世界に足を踏み入れたなら，そのようなことはしょっちゅう起こるだろう。そのたびにAさんは，こうして時間がわからなくなって時空間をさまようことになるだろうと想像できた。そのことをAさんがどう理解しているのか，Aさんがそれに耐えられるのか，見せてもらう必要が私にはあった。

　Aさんは黙って，上に引用した私のコメントについて考えている。そしてやおら「そうですね。更年期のせい？」と言ったので，私は一瞬がっくりしかけた。しかしすぐにAさんはすっと態勢を立て直すようにして，大変だった思春期の頃を回想し始めた。

　思春期の頃，歳の離れたきょうだいたちが，ひとり，またひとり，結婚したり自立したりして家を離れていったこと。そのたびに自分だけ置き去りにされ，ひとつ，またひとつ，大事な"安全"を失っていったように感じたこと。厳格で窮屈な宗教，情緒不安定な弱い母，怒号を挙げ家族を押さえつける怖い父と共に取り残されて，自分が誰だかわからなくなったこと。やがて反発して家を飛び出し，親に反対される不安定な仕事（芸術家）を選び，キャリア上の成功を勝ち取り，必死に生きてきたこと。離婚などの挫折もあって，罪悪感に苛まされ続けてきたが，子どもたちは自分の味方だし，優しい現夫に出会えて幸せであること。それなのに今，父が，母が，きょうだいが，きょうだいの子が続けざまに亡くなって，思春期の頃のように，ひとり，またひとり，Aさんを置き去りにしてゆく。Aさん自身の「悲しい，大変な身の上話」を，泣きじゃくりながら私に語って聴かせるAさんの姿がそこにはあった。

　Aさんは揺れている。いかにも心細そうにこんなふうにも言った。

　「たぶん私，黙った方がいいんですよ。家ではいつも『喋るな』って言われていたんです。父親だけじゃない，きょうだいにも言われていました。『喋るな』『黙れ』」

　私は応えて言った。「あなたの心の中で，今，私がきょうだいのひとり，あるいは両親で，こう言ってるんでしょ。『喋るな，黙れ。お前の問題なんて，どうっ

てことのないものだよ』って」
　彼女は頷いて答える。「そうです。たぶん，更年期のせいで，私，混乱してるんですよね？」

　このようにAさんは，自らの心の痛みに触れたり，それを更年期のせいにして振り切ろうとしたり，行ったり来たりし続けた。私たち二人は，互いに近づいたり離れたりしているようだったし，Aさんは自分の心に近づいたり離れたりしているようだった。
　Aさんはこうも言った。Aさんは混乱を自分ひとりで抱え，ひとりで解決し，ひとりで立ち上がらなければならないと考えている，今までずっとそうしてきたから，と。確かにAさんの生き様を思うと，そのようにひとりで戦いながら生きてきたのだろうと私にも思えた。このことについて，私たちはこんなふうに話した。

　私はAさんに語りかけた。「こうおっしゃっているみたいですね。あなたの周りには，あなたの苦しみに気づき，あなたの困難を本当に理解する人はいない。だからあなたは自分で主張しなくてはならない。自分で立ち上がり，自分で自分を守らなければならない」
　Aさんはただちに頷いて言った。「まさにそういうふうに感じているんですよ。うまいこと言いましたね！」

　そのように自分で自分を守りながら生きてきたAさんだったが，ここ数年，とても苦しい局面に陥って，心理療法に助けを求めた。それほどどうしようもない窮地だったのだろう。それなのに手に入れることができたCBTは短期的すぎて十分でなく，Aさんの役に立ち損ねた。それは図らずも「やっぱり誰も当てになんかならない」という体験を積み重ねることになった。だからAさんは心理療法に，心理療法家に怒っているし，その同類である私を信じることも，私に頼ることにも困難を覚えている。
　このようなことを語った私に対し，Aさんは涙に暮れながらもニヤリと笑ってこう応えた。

「あら，私が怒ってるって気がつきました？ですよね。気づくだろうと思いましたよ。だって私，あなたが私に怒ってると思ったんだもの。『どうしてこの人，自分の経験とか考えとかを話せないんだろう』って。それにあなた，難しい質問をしたでしょ。私がここで何を欲しいのか，って。そんなのわかるわけないじゃない，だって大家族で育ったら，自分が何を欲しいかなんて関係ないんだもの」

Aさんは話し続ける。「ああ，あなた気がついたんですね。そう。そうですよ，私，怒ってましたよ。でもね，私，両親のこと好きだったんですよ。愛してくれたから。思春期になるまでは幸せだったし，たぶん，いいこともあったんです。だからこそ私はこうして生き延びてこれた。両親が死んだとき，本当に悲しかった。子どものときは大変だったけど。怒鳴ってばかりの父が怖かったし。難しいんですよ，だって，私が両親についてどう思っていたのか，ある角度から話すと別の角度から見たとき正しくない。私は二人が好きだったけど嫌いだった。私は二人を愛していたけど二人に怒っていた。私は二人から離れたかったけど……複雑なんです。両親が死んだとき，本当に複雑な，いろいろな感情が湧いてきて，よくわからなかった。混乱した。そして心底思ったんです。放っておいて，って。でもね，人生は続いていくでしょ」

第2セッションはそんなふうにして終わった。しみじみとした余韻が残るセッションだった。

Ⅴ　この段階での検討

この段階で私が考えていたのは以下のようなことである。

Aさんは誰かに関心を向けられ，本当に理解されることを切望しつつ，思春期の頃のまま，論理的な世界と，混乱した感情の世界の冷たい狭間でひとり，混乱しさまよい続けている人だ。彼女にとっての"安全"になりきれなった両親の姿と，思春期の頃に積み重ねられた離別が，彼女の世界に拭い難き影を落としている。

Aさんは，そういう冷たい狭間に自分を置き去りにし，自分の苦しみと混

乱を本当には理解しなかった大人たちに怒り続けている。

　大事な人はしょせん自分を助け損ね，置き去りにして消えてしまうだろうから，自分で自分を守らなければならない。強く，論理的で，文句も言わず黙って耐えなければならない。さもなければ自分は罪悪なのだ。

　そのような世界に生きてきたから，Aさんは自分の情緒的体験を，その瞬間に把握できない。地理的・時間的に十分離れてからでなければ理解できないし，そのうえ，自らの体験や情緒を他者に投影する。自分がしてもらいたかったようにサポート施設の利用者たちの身の上話に耳を傾けることで，自分が満たされようとする。あるいは，管理スタッフや他のボランティアたちに暖かく支援される彼女らの姿に自らの姿を重ね，あたかも自らが暖かく支援されたかのように安心したりもする。

　さらに「抑うつ気分」の意味するものを理解できないので，書籍やインターネットを頼って頭で論理的に「理解」しようとする。そのひとつの答えが「更年期だから」である。

　そうはいってもAさんは成功した芸術家になり得たし，理解者としての夫を得ることもできた。Aさんが言うように，両親やきょうだい，あるいは学校の教師たちを"良い対象"として体験できた時代があったことが彼女の救いとなって，幸せな局面もある人生を手に入ることができたのだろう。数年前までそれでやってこれたのだ。

　ところが問題は，今，家族がひとり，またひとり亡くなるに至り，思春期の頃の体験がまざまざと蘇ってきていることだ。母が亡くなったことを直接の契機に，心理的ブレイクダウンに至ったのだろう。中年期という人生のステージも相まって，このまま混乱と怒りのなか，孤独と罪悪感に満ちた人生を歩んでゆくことはできない，なんとかしたいという切望を抱いて治療を求め，いくつかCBTを受けたが，残念ながらいずれも短期的なもので，Aさんにとって十分なものになり損ねた。その意味で「より長期的な心理療法」を求めるのは理解できた。

　Aさんは，以上のような自分の複雑な心の世界に足を踏み入れることができるし，その光景を興味を持って見つめることができる。確かに激しく動揺し，実生活にも影響が漏れ出すようだが，そのことについて彼女は私と語りあい，

大きく崩壊してしまうことなく存在し続けることができそうだ。頼りになる夫もいるし，心理療法の過程で彼女の守りとなる環境もあると見ていいだろう。

VI　治療選択肢の提案

　以上のような考えに基づいて，続く第3セッションにおいて次のような治療選択肢を彼女に提案しよう，と私は心に定めた。
　第1案（最善案）は，私が所属する組織内にて，週3回カウチを使った精神分析的心理療法を。この案なら，「心の奥底」にある彼女の長年の苦しみにアプローチできる。だんだん形作られてきた私や私の組織に対する期待を基盤に，新しい対象関係を体験できるだろう。
　しかし，この組織の運営上の制約により，週3回の精神分析的心理療法を提供できるのは原則として上限2年間までだ。これはデメリット。子ども時代から現在に至る数十年という長期にわたり苦しんできたAさんの問題を，共に考える時間としては到底足らない。
　第2案（次善案）は，この組織外で開業している精神分析的心理療法士に紹介すること。ここで提供するのと同じような心理療法を，期間の制限なく必要な限り続けられるのは圧倒的メリットだ。しかしデメリットも大きい。私および私の組織と別れなければならないし，費用は全額私費で，それなりに高額になる。現在仕事を中断している彼女に支払い能力があるだろうか。
　上記いずれの選択肢を選ぶにしても，Aさんには相当の覚悟が必要だろう。始まったあとも平坦な道になるはずもない。自らの情緒体験をさまざまなやり方で遠くに追いやり，把握するまい理解するまいとしてきたAさんが，自分の情緒をまざまざと体験する道を選べるだろうか。足を踏み出せないのではないか。私はまだ確信がなかった。第3セッションではこの点について検討することになるだろう。
　もし恐ろしすぎて足がすくむなら，第3案として，私が所属する組織内にて週1回の精神分析的心理療法を。その場合はカウチ使用ではなく対面式となる。
　もちろんどうしても決心できないなら，第4案として，今回のところは何も始めないことになるし，その場合紹介者のもとで従来どおり薬物療法を続ける

ことになるだろう。更年期障害の専門クリニックについてずいぶん調べたということだから，そちらに行くというなら，それが現時点でのAさんの選択だということだ。

続くセッションが治療選択肢を提示するのに適切な展開になるなら，これらの選択肢を提示し，彼女がそれらにどう反応し，どう考えるのか見てみよう，と私は思った。そして彼女自身とよく話し合い，適切な結論に到達できるか見てみよう，と。

Ⅶ　最終セッション

さて，そのようにして迎えた最終セッションである。

予約時間ちょうどに到着したAさんは，まるで初回セッションのデジャヴのように不安げで怯えている。小声で「座ってもいいですか？」「喋ってもいいですか？」と確認を繰り返す。そのことを指摘するとAさんは首を傾げてしばらく考え込んでいる。

そこから先，Aさんは，情緒的な心の世界と，論理的な身体症状（更年期）に対する対処の世界を行ったり来たりし始めた。こんなふうに。

前セッションから今回までの間に，心に湧き上がってきた不安を収めるためにビタミン注射をした，とAさんは言う。しかしすべてを更年期のせいにしてビタミン注射で収めてしまうことは，Aさんにはもはやできないのだった。

彼女は思春期と今（中年期）の類似について連想し始める。Aさんにとって生理はいつも心理的困難の象徴であった。最初に問題が明るみに出た思春期はちょうど生理が始まる頃だったし，以降ずっと月経前症候群（PMS）に悩まされ続けてきた。そして今，生理が終わる時期（更年期）に，こうしてまた問題にぶち当たっている。生理が象徴している困難とは，置き去りにされること，すること，理解されないこと，しないこと，罪悪感。

それはもちろんここで，私との間でも繰り返されていて，たとえばセッションとセッションの間にはいつも動揺したし，前日はことさらに早く目覚めてしまう。第一，自分は心理療法をもらえるのかもらえないのか，この先行き不透明さにたまらなく不安になる，と彼女は訴えた。だから彼女はやはり自分で調

べて，自分で解決しなければならない。たとえばビタミン注射で！

　彼女の言っていることは本当にもっともなことだった。やっぱり私も彼女を置き去りにするのか，側に留まって彼女を理解するのか，そのことにまつわる不透明さが彼女を不安にさせていた。彼女は私に腹を立てていた。心理療法家とかいう，頼りにならない連中！　だから彼女は私を突き放し，置き去りにして，自分で自分の面倒を見る世界に帰っていこうと思うようだった。それなのに彼女は私を信頼し始めてもいる。それが彼女を動揺させていた。そうした心の揺れが，まざまざと私の心に迫ってくるのだった。

　彼女は言った。引き裂かれ，揺れ動く彼女の心がよく表されている。

　「私，たぶん助けはいらないんです。あなたにそう言ってほしい。ここにいると罪悪感があるんです。同じ環境，同じ両親のもとで育ったきょうだいの中で，なぜ私だけ助けが必要なの？　今日，朝３時に目が覚めて，今日はあなたに何を話そうかって思ったんです。そうしたら私，また眠ってしまいたくなってしまって。ダメダメ，今日はここに来て，あなたと話をするんだからって，自分に言い聞かせなくちゃならなかった」

Ａさんはこうも言った。

　「きょうだい以外に私を理解してくれる人はいなかった。でもきょうだいは死んだ。ここにいるのは罪悪感がある。今朝ここに来る途中に新聞で，外国で起こった集団虐殺の記事を読みました。私，ここでこんなふうにぬくぬくしてるべきじゃない。外国には私よりもっとひどい状況にある人がたくさんいるんです。彼らは傷ついている」

本当に彼女らしい発言だと思いつつ，私は言う。

　「あなた自身の心の中で進行している傷はどうでしょうね。あなたは外国の人に起こっている集団虐殺についてお話しになれますね。サポート施設の利用者たちが体験したひどい悲しみのことも。あなたは，ここではないどこかで，

誰か他の人が負った傷についてはお話しになれる。でも，あなたの心の中に今なおあり続ける，その傷のことは難しいみたいです」

この解釈は彼女の心に触れて，Ａさんは，今日は泣くつもりじゃなかったのにと言って泣きじゃくり始める。セッション・ルームに悲しみがいっぱいになる。しばらくののち私は彼女に声をかけた。

「いま私が言ったことが，怖かったんですね」

うんうんと彼女は頷いて，すすり泣き続ける。そこには恐怖と，怖い目に遭わせた私への抗議と，そしてやがて静けさが満ちる。ただ心の世界に在って，ひたすら泣いている。身体の世界に逃げ出すでもなく，あたふたと"調べる"でもなく，ただひたすら泣いて，静かで，私たち二人はその静けさの中に共にあった。

彼女は迷っていると言った。一方では私と手を握り，心理療法を始めたい。でももう一方では私から距離を取り，自分の心の痛みから離れていたい。そしてそうやって迷っていること自体が，自分が私の助けを求めているということを意味しているのだろう，とＡさんは言った。自分の手が届かない自分の心の奥底の場所に，私なら手が届くようなのだ，とも言った。

この段階で，私は一定の手応えを感じたので，心に用意してあった治療選択肢を提示することにして，こんなふうに切り出した。

「あなたの抱える困難は，子ども時代からのとても長期的なもの，心の奥底に深く根差したものです。だからその困難について考えていくにも自ずと時間がかかります……」

するとどうしたことだろう，私が何か提案するつもりらしいとＡさんは察し，先行きの不透明さから解放されたのか，あっという間に不安が消え去り，涙もすっと引いて，スイッチでも切ったように，セッション・ルームの空気が変わった。

私は，一方ではその鮮やかな一瞬の変化を観察しつつ，もう一方では治療選択肢を提示し続けた。この組織内で精神分析的心理療法をおこなう道と，同様の精神分析的心理療法を受ける目的で組織外の同僚に紹介する道。それぞれのメリットと，デメリット。Ａさんは経済的な理由を挙げて，瞬時に後者の選択肢を棄却した。

　そこから先は，ばたばただった。涙はとうに失せ，Ａさんから多数の現実的な質問がなされ，私はそのいくつかに答えた。精神分析的心理療法（週３回）と精神分析的心理療法（週１回）の間でＡさんは迷っていたが，前者の方がより怖いと考え怯えていることは明らかだった。それなのに突然，いきなり崖から飛び降りでもするかのように，前者にすると高らかに宣言し，半ば躁的に笑いこけた。

　ここに至って私はＡさんを制止し，その急激なジャンプについてコメントする。私を，そして内なる不安と恐怖を振り切るようにして，Ａさんは軽い口調で喋り続ける。何かが欲しいとき，より怖そうに見える道を選ぶのが自分のあり方だ，と言ってケタケタ笑っている。はいそうですかと見逃すわけにはいかない不自然さがそこにはあった。

　私はその不自然さに彼女の注意を向けて，それを叙述しようとした。

　「ちょっと待って。今，何が起こったのか，見てみましょうよ。まず，今日のセッションの始めには，あなたはここで何が起こっているのかわからなくて，とても不安だった。私はあなたの中にある傷について話したけれど，それはあなたの心にとても恐ろしく響いた。事実，これまで３回，私と会ってこうして話をすることはあなたの心に衝撃を与えたし，とても怖かったし，動揺させましたね。あなたは私に助けてほしかったし，それと同時に，何でもない，問題なんかないと言って，心理療法という恐ろしいものなんか必要ないよと私に言ってほしかった。そうですね？

　それなのに，そういう不安は全部，私が何か提案をしようとし始めるなりすっかり消し飛んだ。そこには不透明さはなくて，だから不安は消えたんですよね。ところが私が提案したいくつかの選択肢は，どれもこれも恐ろしく思えましたよね。そうするとあなたは，突如として，あなたにとってもっとも恐ろしく見

えるものに飛びつくことに決めたという。なんだかずいぶん，あなたの感情が上がったり下がったり，極端な感じがしますよね」

彼女は「それが私なんです」と言ってまだくすくす笑っている。私は続けた。

「あなたは今までいろいろなものを投げ出して，罪悪感に苦しんでいますよね。たとえば教育とか結婚とかね。それと同じことが，ここでもまた起ころうとしてるんじゃないでしょうかね。感情が上がっていくとき，あなたはもっとも恐ろしく見える道に飛び込む。そして感情が下がっていくとき，あなたは傷ついてそこから逃げ出す」

彼女は慌てたように，そんなことはない，自分は心理療法を信じているから決して逃げ出したりしないと言ったあと，ようやく立ち止まり，考え込んでから言った。

「そうですね。たぶん，それが私の繰り返してきたことです」

私たち二人はしばらく静かに黙り込んだ。先ほどまでの浮かれた慌ただしさは消え，しんと静まり返った空気が流れた。彼女は言った。

「私，ここでは，私ひとりでは見えない何かが見える気がするんです」

それを受けて私は言った。

「今日，私たちが一緒に話したことについて，考える時間をしばらく取ってごらんなさい。そしてそのあとで私に連絡して，どう思ったか教えてください」

彼女はややしばらく黙り続けたあと，静かに言った。

「ありがとう。そうします」

ここでセッション終了の時間が来て，私たちは立ち上がった。はっきりした結論に到達しないままの終わりであった。彼女は筆者を穏やかな目で見つめ，部屋を立ち去った。このようにしてAさんとのアセスメント・コンサルテーションは終わった。

　その数週間後，彼女から連絡が来て，私の組織内において週1回の精神分析的個人心理療法を受けたいという希望が伝えられた。私にもそれがもっとも適切な判断であるように思えた。

　以上，Aさんとのアセスメント・コンサルテーションの概要をまとめて示した。あれこれ細部は省いたが，アセスメント・コンサルテーションのおおよその流れや雰囲気が伝わればと思う。

Ⅷ　紹介者への手紙

```
　○○クリニック
　○○先生
　（住所）                                    ○年○月○日
                                          （自分の組織名）
                                          （自分のなまえ）
                                          （組織の住所）


　Re：A様（ID，生年月日，住所）

　標記の方について，○○年○○月○○日にご紹介いただきありがとうございました。○○年○○月○○日から○○年○○月○○日までの間，計3回，アセスメント・コンサルテーションとしてA様にお会いし，その結果，精神分析的個人心理療法（週1回）を始めることで合意に至りましたのでお知らせいたします。
　先生のご紹介状にもありましたように，A様は長い間にわたる情緒的
```

な困難に苦しんでおられます。この困難はA様の子ども時代に端を発する根の深いものであります。

　A様はご自分の心の世界に足を踏み入れて，そのなかにあるさまざまな情緒や困難に目を向けることを大変怖がっておられました。アセスメント・コンサルテーションの間，A様は，それらのものに目を向けるか向けまいか迷い続けておられました。けれども最終的には，自分が本当に何を感じているのか理解するとともに，理解されたいと願うようになって，そのために心理療法を受けることを強くご希望され，上のような結論になりました。

　A様はアセスメント・コンサルテーションでの体験にとても大きな刺激を受け，時に動揺し，時に普段より睡眠が難しくなって，たとえば早朝3時に覚醒するなどしました。週1回の精神分析的個人心理療法が始まりますと，同様の不安や混乱を体験される可能性があります。このことについてA様が先生にご相談されることもあるかもしれません。そのときにはよろしくお願い申し上げます。

　A様にとって来たる精神分析的心理療法が実り多きものになりますよう願っています。

　もしもご不明な点等ございましたらいつでもご連絡くださいますように。

　このたびはご紹介いただきありがとうございました。

署名
Cc：A様

おわりに

　最後まで読んでいただいてどうもありがとうございました。
　英国から帰り，日本で臨床活動を再開してからこんにちまで，ずいぶんあちこちでアセスメント・コンサルテーションについて，お話しさせてもらいました。いろいろな町に招んでいただいて，大小のセミナー等をしたりスーパービジョンや事例検討会をしたり。そのひとつひとつを自分なりに一生懸命やったつもりです。わざわざ聴きに来てくれたみなさんに意図が伝わった手応えを感じた夜は，嬉しくてささやかに祝盃をあげたりもしましたし，話して話して話して最後に，「やっぱりこれは自分の現場では難しいですね」と言われたときはがっくり肩を落として，そのようにして一喜一憂しながらここまでやってきました。これからも変わらず，そのように小さく地道に続けていくつもりでいます。
　繰り返し読み過ぎて物理形状が瓦解しかけていたHobson（2013）は，本書を書いている途中にとうとうばらばらに壊れてしまいました。アセスメント・コンサルテーションに関する素晴らしい教科書です。本書を読んで関心を持った方はぜひHobson（2013）もどうぞ手に取ってみてください。筆者にとっては懐かしい先輩がたの面影がたくさん詰まった思い出の書でもあります。
　大事にしている緑色のこの本に重ねて本書を作ることには本当に迷いがあって，だから完成までに当初予定よりうんと時間がかかってしまいました。私が英国で教えてもらったことと，自分の日々の臨床活動を通して考えてきたこととを合わせて，本書を作りました。
　ふらふらの道のりでいつも筆者の心にあったのは，過去から現在に至るまでお会いしてきたひとりひとりの患者さんがたの顔。長い期間お会いしている方はもちろん，アセスメント・コンサルテーションで数セッションだけお会いした方も，みな心の中に気配が息づいています。そしてこれまでに，これからも，

セミナーやスーパービジョン等でお会いするみなさんの姿。どうかみなさんに届くようにと，その一心でなんとか，長い道を一歩一歩，歩き通すようにして書き終えたところです。

　筆者を支えてくれたのは，幸運な偶然によってこれまで出会ってきた人々です。あまりにたくさんの人々に助けられ，支えられてやってきたので，すべての方のお名前をひとりひとり挙げようとすると，それだけで何ページもかかるし，アカデミー賞か何かのスピーチぶっていて気恥ずかしくもあるのでやめておきます。ごく少数，本書に直接関係のある方だけここに挙げさせていただきます。

　タビストック・クリニック成人部門在籍中に，筆者のアセスメント・コンサルテーションをすべてスーパーバイズしてくれたのは Mr Steve Dreyer です。ひとつひとつのセッションは言うに及ばず，本書の「後処理」の章に出てくるような書類の書き方に至るまで丁寧に指導してくれました。その後日本に来てくれて，一緒にたこ焼きを食べ，熱さに飛び上がったりしました。楽しかったですね。本書を作るにあたっては，思う存分書くようにと激励してくれました。

　Clinical Referral Co-odinator にならないかと筆者を誘ってくれたのは，当時 Lyndhurst Unit Leader だった Mr Michael Mercer でした。外国人である筆者を臨床家として信用して，たくさんの経験をさせてくれました。彼は私の訓練ケースのひとつをスーパーバイズしてくれた人でもあって，その患者との心理療法を終えたとき「We really did a good job（われわれは頑張りましたね）」と言っていたことをありありと思い出します。決して「You did...（あなたは）」ではなくて。実感がこもっています。こもりすぎるくらい。Mr Mercer も本書に何でも好きなように書くよう応援してくれました。

　Prof Peter Hobson には，彼の本を筆者のセミナーで教科書として使っていることを 2015 年当初から伝えてあります。自分の本がこうして遠く日本で読み継がれていることを喜んでくれています。

　筆者は 2008 − 2014 年当時に同クリニック成人部門に在籍していたほとんどみんなに，何らかの形で指導をしてもらいました。なかにはもう別の場所に移籍したり，個人オフィスでの臨床に軸足を移したりしている方々も多いです。クリニックが変わってゆくのは寂しくもあるけれど，大事なのは箱ではなく人

であると思っています。

　本書で記載したアセスメント・コンサルテーションの方法は，巻末付録に掲げた様式を含めすべて，当時の同クリニック成人部門で用い，実施していたものをもとに，手を加えたものです。本書を通し，これらについて日本のみなさまに紹介することをご許可いただきました同クリニック成人部門のみなさまに改めて感謝いたします。

　そしてもうひとり，明らかにとても難しい患者だった筆者に長年付き合ってくれた精神分析家 Dr J. A。お名前を書こうかとも思いましたが，私の中で宝物のように大事にしたい気持ちもあって，イニシアルに留めます。Dr J. A は日本語を読まない人だから，この文章を目にすることはまあ絶対ないだろうけれど，今でもずっと筆者の心の中であなたの声が鳴り響いていることをここに密かに記しておきます。

　願わくは，本書を手に取ってくれたみなさんにも，そういう人が見つかりますように。そしてそのかけがえのない体験を，今度はみなさんが出会う患者さんがたに引き継ぐことができますように。

　みなさんの行く手が穏やかで幸せなものであるよう，念じています。

　もしも何かあったら連絡をください。

2019 年 9 月

仙　道　由　香

付録1
アセスメント・コンサルテーション受付票

＊

付録2
アセスメント・コンサルテーション・サマリー

【付録１】

Ver. 1905

CONFIDENTIAL /SS 厳秘
新大阪心理療法オフィス https://sopsychotherapy.com

アセスメント・コンサルテーション受付票

この用紙は、コンサルテーションを始めるにあたり、あなたについて教えてもらうためのものです。より適確で、あなたの役に立つコンサルテーションを行うために大切です。

記入日： 　年　　月　　日

（よみがな）			生年月日	年　　月　　日	
氏名			年齢		歳
住所	（〒　　　　）				
メールアドレス					
電話番号	自宅				
	携帯				
	その他				
	↑緊急連絡先として用いてよいものに○を付けてください				
職業（勤務先名）					
宗教、哲学、その他の考え方などで大事にしているものはありますか		□ありません □あります：具体的にご記入ください			

※当オフィスからのご連絡は原則としてメールもしくはお手紙にて行います。諸事情により電話やファクシミリでの連絡には対応しておりませんのでご了承ください。

次のページから始まる質問に答えてください。

欄の中に書ききれない場合は、余白などに記入してもかまいません。もしも答えにくい質問があればそのまま空欄にしておいてください。お会いしたときに担当者と一緒に話し合いましょう。

記入ができたら、郵便で送り返してください。受け取り次第、第１回ご予約をお取りする手続きに入ります。

□ 現在通院中の病院がある方は、ご紹介状を一緒に同封してください。

Ver. 1905　　　　　　　　　　　　　　　　　　**CONFIDENTIAL /SS 厳秘**
　　　　　　　　　　　　　　　　　　　新大阪心理療法オフィス https://sopsychotherapy.com

※治療上の判断をより適切なものにするために、あなたのご紹介者や主治医など、あなたの治療に関わっている他の専門家に連絡をとり情報交換する場合があります。このような情報交換がおこなわれることを望まない場合は、以下の□に✓印をつけてください。

　　　　　→ <u>私は担当者が他の専門家と情報交換することに同意しません</u>。□

※ご記入された情報を、個人が特定されないよう加工したり統計処理したりなどしたうえで研究のために使用する場合があります。このような研究をおこない、専門家同士で議論することにより、心理療法の質を向上させてゆくことに貢献できます。あなたの情報をこのようにして利用されることを希望しない場合は、以下の□に✓印をつけてください。

　　　　　→ <u>私は私の情報を研究目的で使用されることに同意しません</u>。□

Q1. 現在お困りのことはどのようなことですか。

Ver. 1905 　　　　　　　　　　　　　　　　　　**CONFIDENTIAL /SS 厳秘**
　　　　　　　　　　　　　　　　　　　　　　新大阪心理療法オフィス https://sopsychotherapy.com

Q2. 今までに心理療法、カウンセリング、精神科や心療内科での治療などを受けたことがありますか。ある場合、それはどのようなものでしたか。

Q3. 両親について

	名前	年齢(※1)	あなたの年齢（※2）	職業
父				
母				

※1 もしすでに亡くなっている場合は、亡くなった時の年齢を記入してください。
※2 もしすでに亡くなっている場合は、亡くなった時のあなたの年齢も記入してください。
※ 　父母の他に重要な関係の方がいる場合は、その方についても記入してください。

Q4. きょうだいについて
あなた自身を含め、年齢順に上から記入してください。（次ページに続きます）

名前	性別	年齢（※1）	あなたの年齢（※2）	職業

Ver. 1905

※1 もしすでに亡くなっている場合は、亡くなった時の年齢を記入してください。
※2 もしすでに亡くなっている場合は、亡くなった時のあなたの年齢も記入してください。

Q5. あなたの子ども時代はどのようなものでしたか。

Q6. あなたはどんな学校生活を送ってきましたか。

Q7. あなたは結婚していますか。あてはまるものに〇を付けてください。

既婚	離婚	死別	未婚
その他：			

Q8. あなたの配偶者について

名前	性別	年齢（※1）	あなたの年齢（※2）	職業

※1 もしすでに亡くなっている場合は、亡くなった時の年齢を記入してください。
※2 もしすでに亡くなっている場合は、亡くなった時のあなたの年齢も記入してください。

Ver. 1905 **CONFIDENTIAL /SS 厳秘**
新大阪心理療法オフィス https://sopsychotherapy.com

Q9. これまでの重要な交際歴について教えてください。

Q10. あなたの子どもについて

名前	性別	年齢（※1）	あなたの年齢（※2）	職業

※1 もしすでに亡くなっている場合は、亡くなった時の年齢を記入してください。
※2 もしすでに亡くなっている場合は、亡くなった時のあなたの年齢も記入してください。

Q11. あなたの現在のお住まいの状況について教えてください。

☐ ひとりで暮らしています。
☐ 同居している人がいます。→ どなたとお住まいですか。以下に記してください。

Ver. 1905

Q12. あなたの仕事について教えてください。

Q13. 仕事の上であなたが嬉しいと思うこと、また、難しいと思うことは何ですか。

Q14. これまでに何か大きな病気や怪我をしたことがありますか。

Ver. 1905

Q15. 性的なことで困っていることはありますか。

Q16. 処方されている薬や、継続中の治療などはありますか。

Q17. 処方されている以外の薬で服用しているものはありますか。

Ver. 1905　　　　　　　　　　　　　　　　　　**CONFIDENTIAL /SS 厳秘**
　　　　　　　　　　　　　　　　　新大阪心理療法オフィス https://sopsychotherapy.com

Q18. お酒はどのくらい飲みますか。また、そのことについてあなたは心配していますか。

Q19. 消えてしまいたくなったり、死んでしまいたくなったりすることはありますか。また、自分を傷つけたり、死のうとしたりしたことはありますか。

Q19. その他に知っておいてほしいことがあれば、自由に記入してください。

質問は以上です。

返送先: (住所)

【付録２】

Ver. 1901

CONFIDENTIAL /SS 厳秘
新大阪心理療法オフィス https://sopsychotherapy.com

アセスメント・コンサルテーション・サマリー

記載年月日：＿＿＿＿＿＿／アセスメント実施年月日：＿＿＿＿＿＿～＿＿＿＿＿＿（全　　回）

アセスメント担当者：	患者 ID：

結論		
心理療法開始	☐YES	→「心理療法の種別」へ
	☐NO	→「心理療法を開始しない理由」へ
☐心理療法開始(開始日：　　　　　)	☐ウエイティング・リスト(開始日：　　　　)→☐待機解消	

他に関わっている専門家(例えば紹介者など)：		
氏名	立場	電話番号/メールアドレス

本人との連絡方法	☐メール／☐電話／☐手紙（※連絡先は受付質問票参照）
紹介者との連絡方法	☐メール／☐電話／☐手紙／☐口頭(対面)
紹介者と担当者が連絡を取る可否	☐可／☐拒否
医療機関受診有無	☐無／☐有→[紹介状？ ☐有／☐請求中／☐無]
主治医等関係者と担当者が連絡を取る可否	☐可／☐拒否

リスク査定にあたっての情報源			
紹介者	☐	家族・親戚など	☐
本人	☐	その他病院等の記録	☐
主治医紹介状・診断書	☐	その他（　　　　　　　）	☐

勤務状況		勤務状況	
有職	☐	アルバイト／パートタイム	☐
無職	☐	複数の非常勤(フルタイム相当)	☐
学生	☐	常勤	☐
その他（　　　　　）	☐	その他（　　　　　）	☐

住居			
一般住居	☐	各種シェルター(管理者がいる)	☐
精神保健ケア付住居	☐	急性期/慢性期の精神科病院等	☐
その他のケア付住居(精神保健専門ではない)	☐	住居不定	☐
その他（　　　　　　）	☐	ホームレス	☐

住居の状況			
安定	☐	不安定	☐

Ver. 1901　　　　　　　　　　　　　　　　　　**CONFIDENTIAL /SS 厳秘**
　　　　　　　　　　　　　　　　　　　　新大阪心理療法オフィス https://sopsychotherapy.com

紹介者による問題（紹介理由）とリクエスト

本人から見た問題とリクエスト　※受付質問票およびセッション中の語りによる

アセスメント担当者が理解する問題およびそれが持続している期間

生育史

Ver. 1901　　　　　　　　　　　　　　　　**CONFIDENTIAL /SS 厳秘**
　　　　　　　　　　新大阪心理療法オフィス https://sopsychotherapy.com

患者の問題について（フォーミュレーション）

リスク歴　※有の場合、別途詳細を「リスク査定まとめ」欄に記録	無	低	中	高
自傷行為	☐	☐	☐	☐
希死念慮	☐	☐	☐	☐
自殺企図	☐	☐	☐	☐
自分自身に対するネグレクト、摂食障害	☐	☐	☐	☐
安定した対象関係の欠如、治療ドロップアウト	☐	☐	☐	☐
同居する大人に対する暴力	☐	☐	☐	☐
同居する子どもに対する暴力	☐	☐	☐	☐
高い衝動性・攻撃性	☐	☐	☐	☐
犯罪歴、触法行為、その他反社会的行為等	☐	☐	☐	☐
アルコール過剰摂取	☐	☐	☐	☐
その他各種薬物の濫用、不適切な使用	☐	☐	☐	☐
精神科入院歴	☐	☐	☐	☐
心理的ブレイクダウン	☐	☐	☐	☐
現在進行形の身体疾患	☐	☐	☐	☐
現在進行形の精神疾患	☐	☐	☐	☐
社会からの孤立	☐	☐	☐	☐
その他	☐	☐	☐	☐
→→→**具体的対策の必要性**	☐	☐	☐	☐

子どもに対するリスク	NO	YES
患者は未成年の子どもと同居しているか？	☐	☐
→YESの場合、その子どもになんらかのリスクはあるか？	☐	☐
→YESの場合、子ども担当者と相談したか？	☐	☐

※YESの場合、必ず子ども担当者、スーパーバイザーと相談し、適切な対策を取ること。

Ver. 1901   **CONFIDENTIAL /SS 厳秘**
新大阪心理療法オフィス https://sopsychotherapy.com

リスク査定まとめ
注：この欄は必ず記載すること： • 高リスク行為がセッション中もしくは質問紙記載中に認められた場合、その内容、回数、発生時期を具体的に記載すること。 • 十分な情報がないが、フォローアップして追加情報を追跡する必要がある場合はその旨明記すること • なにもリスクが特定されない場合は、その旨明記すること

治療計画およびリスク・マネジメント計画

心理療法の種別	
☐ 標準1（個人、週　　回、カウチ使用）	☐ カップル
☐ 標準2（個人、週　　回、対面）	☐ 集団
☐ 精神分析的コンサルテーション	☐ その他

心理療法を開始しない理由			
双方の合意	☐	他機関へ紹介	☐
提案した治療計画の患者による拒否	☐	その他	☐

記入者署名：

参考文献

Peter Hobson (Ed.) (2013). *Consultations in Psychoanalytic Psychotherapy*. London: Karnac Books.
全体を通しての参考文献。筆者のアセスメント・コンサルテーションに関するセミナー等で教科書として用いているもの。何度も通読していただけるとよいと思う。以下，各章の参考文献欄においては，特定の章を指すとき以外は本書を挙げることを省く。

◆ 序章
Coltart, N. (1993). *How to Survive as a Psychotherapist*. London: Sheldon Press.
Garelick, A. (1994). Psychotherapy assessment: Theory and practice. *Psychoanalytic Psychotherapy*, 8(2): 101-116.
Spillius, E. (2011). Development by British Kleinian Analysts. In: Spillius, E. & O'Shaughnessy, E. (Eds.). *Projective Identification: The Fate of a Concept*. New York: Routledge/Taylor & Francis Group, pp.49-60.
鵜飼奈津子 (2017). 子どもの精神分析的心理療法の基本（改訂版）．誠信書房．

◆ 第1章
Aisenstein, M. (2018). *Psychosomatics Today: A Psychoanalytic Perspective*. London: Routledge.
Aisenstein, M. & Smadja, C. (2010). Conceptual framework from the Paris Psychosomatic School: A clinical psychoanalytic approach to oncology. *International Journal of Psycho-Analysis*, 91(3): 621-640.
Bell, D. & Kleeberg, B. (2013). Very troubled patients. In: Hobson, P. (Ed.) (2013). *Consultations in Psychoanalytic Psychotherapy*. London: Karnac Books, pp.164-179.
Berkowitz, R. (2013). Assessing for psychoanalytic psychotherapy: A historic perspective. In: Hobson, P. (Ed.) (2013). *Consultations in Psychoanalytic Psychotherapy*. London: Karnac Books, pp.27-44.
Bronstein, C. (2011). On psychosomatics: The search for meanings. *International Journal of Psycho-Analysis*, 92(1): 173-195.
Coltart, N. (1993). *How to Survive as a Psychotherapist*. London: Sheldon Press.
Erikson, E. H. (1968). *Identity: Youth and Crisis*. New York: W. W. Norton & Company Inc.
Fiennes, R. (2008). *Mad, Bad and Dangerous to Know: An Autobiography*. London: Hodder & Stoughton.
Freud, S. (1912). *The Dynamics of Transference*. Standard Edition, 7.
Freud, S. (1913). *On Beginning the Treatment (Further Recommendations on the Technique of Psychoanalysis, I)*. Standard Edition, 12.
Freud, S. (1916-1917). *Introductory Lectures on Psychoanalysis*. Standard Edition, 15-16.
Garelick, A. (2013). After thoughts. In: Hobson, P. (Ed.) (2013). *Consultations in Psychoanalytic Psychotherapy*. London: Karnac Books, pp.204-207.

Garelick, A. (1994). Psychotherapy assessment: Theory and practice. *Psychoanalytic Psychotherapy*, **8**(2): 101-116.
Garland, C. (Ed.) (2010). *The Group Book: Psychoanalytic Group Therapy: Principles and Practice including The Groups Manual*. London: Karnac Books.
Hobson, P. (2013). Overview. In: Hobson, P. (Ed.) (2013). *Consultations in Psychoanalytic Psychotherapy*. London: Karnac Books, pp.3-24.
Hobson, P., Patrick, M., Kapur, R. et al. (2013). Research reflections. In: Hobson, P. (Ed.) (2013). *Consultations in Psychoanalytic Psychotherapy*. London: Karnac Books, pp.183-203.
Joseph, B. (1985). Transference: The total situation. In: Feldman, M. (Ed.) (1989). *Psychic Equilibrium and Psychic Change*. London: Routledge, pp.157-168.
Kahn, M. (2002). *Basic Freud: Psychoanalytic Thoughts for the 21st Century*. New York: Basic Books.
Keats, J. (1819). Ode on a Grecian Urn. In: Keats, J. (1920). *Lamia, Isabella, The Eve of St. Agnes, and Other Poems*. London: Penguin Book, pp.150-156.
Melicias, A. B. (2015). The Freud Folder. Lisbon: Eros & Psyche Edition.
Milton, J. (1997). Why assess?: Psychoanalytical assessment in the NHS. Psychoanalytic Psychotherapy, 11: 45-58. Amended and Reappeared: Why assess? Psychoanalytic assessment in the National Health Service. In: Hobson, P. (Ed.) (2013). *Consultations in Psychoanalytic Psychotherapy*. (2013). London: Karnac Books, pp.45-61.
Scott, R. F. (1913/2008). *Journals: Captain Scott's Last Expedition*. Reprinted: New Edition. Oxford: Oxford University Press.
Reith, B., Lagerlöf, S., Crick, P. et al. (Ed.) (2011). *Initiating Psychoanalysis: Perspectives*. London: Routledge.
Reith, B., Moller, M., Boots, J. et al. (Ed.) (2018). *Beginning Analysis: On the Process of Initiating Psychoanalysis*. London: Routledge.
Winnicott, D. W. (1953). Transitional objects and transitional phenomena: A study of the first not-me possession. *International Journal of Psycho-Analysis*, **34**: 89-97.
木沢武男 (1989). 料理人と仕事―いまへスティアのかまどは……. モーリス・カンパニー.

◆ 第3章
Coltart, N. (1993). *How to Survive as a Psychotherapist*. London: Sheldon Press.
Crick, P. (1991). Good supervision: On the experience of being supervised. *Psychoanalytic Psychotherapy*, **5**(3): 235-246.
Barnett, J. E. & Molzon, C. H. (2014). Clinical supervision of psychotherapy: Essential ethics issues for supervisors and supervisees. *Journal of Clinical Psychology*, **70**(11): 1051-1061.
Evans, M. (2008). Can anybody hear me?: Reacting to pressures from psychotic states of mind. *Psychoanalytic Psychotherapy*, **22**(4): 248-261.
Evans, M. (2013). The role of psychoanalytic assessment in the management and care of a psychotic patient. *Psychoanalytic Psychotherapy*, **25**(1): 28-37.
Evans, M. (2016). *Making Room for Madness in Mental Health: Psychoanalytic Understanding of Psychotic Communication*. London: Routledge.
Fornagy, P., Rost, F., Carlyle, J. et al. (2015). Pragmatic randomized controlled trial of long-

term psychoanalytic psychotherapy for treatment-resistant depression: The Tavistock Adult Depression Study (TADS). *World Psychiatry*, 14(3), pp.312-321.

Freud, S. (1910). *The Future Prospects of Psycho-Analytic Therapy*. Standard Edition 6.

Garelick, A. (1994). Psychotherapy assessment: Theory and practice. *Psychoanalytic Psychotherapy*, 8(2): 101-116.

Gerald, M. (2019). *In the Shadow of Freud's Couch: Portraits of Psychoanalysts in Their Offices*. London: Routledge. see his website as well: http://www.markgeraldphoto.com/

Heimann, P. (1950). On countertransference. International Journal of Psycho-Analysis, 31: 81-84. Reappeard: Tonnesmann, M. (Ed.) (1989). *About Children and Children-No-Longer: Collected Papers 1942-80*. London: Routledge, pp.73-79.

Heimann, P. (1954). Problems of the training analysis. *International Journal of Psycho-Analysis*, **35**: 163-169.

Heimann, P. (1959). Counter-transference. British Journal of Medical Psychology. 33(9): pp.9-15. Reappeard: Tonnesmann, M. (Ed.) (1989). *About Children and Children-No-Longer: Collected Papers 1942-80*. London: Routledge, pp.151-160.

Hodson, P. H. (2012). *The Business of Therapy: How to Run a Successful Private Practice*. Berkshire: Open University Press.

Joseph, B. (2011). Projective identification: Some clinical aspects. In: Spillius, E. et al. (Ed.) (2012). *Projective Identification: The Fate of a Concept*. New York: Routledge/Taylor & Francis Group, pp.98-111.

Lucas, R. (2013). *Psychotic Wavelength: A Psychoanalytic Perspective in Psychiatry*. London: Routledge.

Milton, J. (1997). Why assess?: Psychoanalytical assessment in the NHS. *Psychoanalytic Psychotherapy*, 11: 45-58. Amended and Reappeared: Why assess? Psychoanalytic assessment in the National Health Service. In: Hobson, P. (Ed.) (2013). *Consultations in Psychoanalytic Psychotherapy*. London: Karnac Books, pp.45-61.

Tykwer, T. (Dir.) (2006). *Perfume: The Story of a Murderer*. Paris: Metropolitan Films.

Russell, G. I. (2015). *Screen Relations: The Limits of Computer-Mediated Psychoanalysis and Psychotherapy*. London: Routledge.

Rye, J. (2016). *Setting Up and Running a Therapy Business: Frequently Asked Questions*. London: Routledge.

Winnicott, D. W. (1977). Plan of Dr Winnicott's working space at 87 Chester Square London. In: *The Piggle: An Treatment of the Psychoanalytic Treatment of a Little Girl*. (1980). London: Penguin Books.

今西錦司 (1972). 生物の世界．講談社．

◆ 第4章

Evans, M. (2013). The role of psychoanalytic assessment in the management and care of a psychotic patient. *Psychoanalytic Psychotherapy,* **25**(1): 28-37.

◆ 第5章

Arundale, J. & Bellman, D. B. (Eds.) (2011). *Transference and Countertransference: A Unify-*

ing Focus of Psychoanalysis. London: Karnac Books.

Bellman, D. B. & Arundale, J. (Eds.) (2015). *Interpretative Voices: Responding to Patients*. London: Karnac Books.

Bion, W. R. (1962). A Theory of thinking. *International Journal of Psycho-Analysis*, 43: 306-310.

Freud, S. (1900). *The Interpretation of Dreams*. Standard Edition 4-5.

Freud, S. (1901). *Psychopathology in Everyday Life*. Standard Edition 6.

Freud, S. (1905). *Three Essays on the Theory of Sexuality*. Standard Edition 7.

Freud, S. (1915). *The Unconscious*. Standard Edition 14.

Garland, C. (Ed.) (2010). *The Group Book: Psychoanalytic Group Therapy: Principles and Practice including The Groups Manual*. London: Karnac Books.

Green, H. (1964). *I Never Promised You a Rose Garden*. New York: Holt, Rinehart and Winston.

Heimann, P. (1956). Dynamics of transference interpretations. *International Journal of Psycho-Analysis*, 37(4/5): 303-311. Reappeared: Tonnesmann, M. (Ed.) (1989). *About Children and Children-No-Longer: Collected Papers 1942-80*. London: Routledge, pp.108-121.

Heimann, P. (1970). The Nature and Function of Interpretation. In: Tonnesmann, M. (Ed.) (1989). *About Children and Children-No-Longer: Collected Papers 1942-80*. London: Routledge. pp.267-275.

Hinshelwood, R. (1991). Psychodynamic formulation in assessment for psychotherapy. *British Journal of Psychotherapy*, 8(2): 166-174.

Hobson, P. (2002). *The Cradle of Thought: Exploring the Origin of Thinking*. London: McMillan.

Joseph, B. (1985). Transference: the total situation. In: Feldman, F. (Ed.) (1989). *Psychic Equilibrium and Psychic Change*. London: Routledge, pp.157-168.

Kahn, M. (2002). *Basic Freud: Psychoanalytic Thoughts for the 21st Century*. New York: Basic Books.

Keats, J. (1817). On negative capability: Letter to George and Tom Keats. In: Rollins, H. E. (Ed.) (2012). *The Letters of John Keats: Volume I*. Cambridge: Cambridge University Press, pp.193-194.

King, P. (1980). The life cycle as indicated by the nature of the transference in the psychoanalysis of the middle-aged and elderly. *International Journal of Psycho-Analysis*, 61: 153-161. Reappeared: *Time Present and Time Past: Selected Papers of Pearl King*. London: Karnac Books.

Klein, M. (1935). A contribution to the psychogenesis of manic-depressive states. *International Journal of Psycho-Analysis*, 16: 145-174.

Klein, M. (1940). Mourning and its relation to manic-depressive states. *International Journal of Psycho-Analysis*, 21: 125-153.

Klein, M. (1946). Notes on some schizoid mechanisms. *International Journal of Psycho-Analysis*, 27: 99-111.

Milton, J. (1997). Why assess?: Psychoanalytical assessment in the NHS. *Psychoanalytic Psychotherapy*, 11: 45-58. Amended and Reappeared: Why assess? Psychoanalytic assessment

in the National Health Service. In: Hobson, P. (Ed.) (2013). *Consultations in Psychoanalytic Psychotherapy*. London: Karnac Books, pp.45-61.
Rayner, E., Clulow, C., Joyce, A. et al. (1971). *Human Development: An Introduction to the Psychodynamics of Growth, Maturity and Aging*. London: Unwin Hyman Ltd. 4th Edition. (2010). Hove: Routledge.
Roth, P. (2001). Mapping the landscape: Levels of transference interpretation. *International Journal of Psycho-Analysis*, **82**(3): 533-543. Reappeared: Hargreaves, E. & Varchevker, A. (Ed.) (2004). *In Pursuit of Psychic Change: The Betty Joseph Workshop*. London: Routledge, pp.85-99.
Ruszczynski, S. (2017). Couples on the couch: Working psychoanalytically with couple relationship. In: Nathans, S. & Schaefer, M. (Eds.) *Couples on the Couch*. London: Routledge, pp.30-47.
Segal, H. (1950). Some aspects of the analysis of a schizophrenic. *International Journal of Psycho-Analysis*, **31**: 268-278.
Segal, H. (1957). Notes on symbol formation. *International Journal of Psycho-Analysis*, **38**: 391-398.
Taylor, D. (Ed.) (1999). *Talking Cure: Mind and Method of The Tavistock Clinic*. London: Karnac Books.
Winnicott, D. W. (1958). *Collected Papers: Through Paediatrics to Psycho-Analysis*. London: Tavistock Publications.
うもとゆーじ・むぎばやしひろこ・ウモト サチコ (2002). エポケ：ポップコーンのひみつ．エイベックス．
仙道由香 (2016). 師曰く「あたかも夢を聴くように」と：夢見ない患者の孤独な世界と心理療法．精神分析的心理療法フォーラム, 4: 87-92.
仙道由香 (2017a). 三次元情緒交流空間と動的心について．精神分析的心理療法フォーラム, 5: 26-31.
仙道由香 (2017b). 視界がひらけることとその痛みについて．精神分析的心理療法フォーラム, 5: 99-104.

◆第６章
Bower, M., Hale, R. & Wood, H. (Eds.) (2013). *Addictive States of Mind*. London: Karnac Books.
Blumenthal, S., Wood, H. & Williams, A. (2018). *Assessing Risk: A Relational Approach*. London: Karnac Books.
Lawrence, M. (2008). *The Anorexic Mind*. London: Routledge.
Rosenfeld, H. (1960). On drug addiction. In: Rosenfeld, H. (1965). *Psychotic States: A Psychoanalytical Approach*. London: Karnac Books, pp.169-179.
Rosenfeld, H. (1964). The psychopathology of drug addiction and alcoholism: A critical review of the psycho-analytic literature. In: Rosenfeld, H. (1965). *Psychotic States: A Psychoanalytical Approach*. London: Karnac Books, pp.217-242.
Sohn, L. (1985). Anorexic and bulimic states of mind in the psycho-analytic treatment of anorexic/bulimic patients and psychotic patients. *Psychoanalytic Psychotherapy*, 1B(2): 49-

57.
Winnicott, D. W. (1984). *Deprivation and Delinquency*. London: Routledge.
Verma, M. & Vijayakrishnan, A. (2018). Psychoanalytic psychotherapy in addictive disorders. *Indian Journal of Psychiatry*. 60(Suppl 4): 485-489.
Yakely, J. (2009). Individual psychoanalytic psychotherapy for violent patients. In: Yakely, J. (2010) *Working with Violence: A Contemporary Psychoanalytic Approach*. New York: Palgrave MacMillan, pp.127-149.

◆ 第8章
Garelick, A. (1994). Psychotherapy assessment: Theory and practice. *Psychoanalytic Psychotherapy*, 8(2): 101-116.
Masson, J. (Ed.) (1985). *The Complete Letters of Sigmund Freud to Wilhelm Fliess, 1887-1904*. Cambridge: Belknap Press.

索　引

ア行

アセスメント　5, 7, 15
　　――の目的　16
　　患者による心理療法家の――　120
　　辞書的意味の――　6
　　心理療法家による患者の――　120
アセスメント・コンサルテーション　5
　　――の限界　169
　　――の目的　97
　　組織（集団）に対する――　20
アセスメント・サマリー（アセスメント・コンサルテーション・サマリー）　159, 216
言い間違いや行動　17
意識（→「無意識」も参照）　24
医師（上司）の指示　25
医療現場　20, 24, 25, 42
受付質問票（アセスメント・コンサルテーション受付票）　69, 83, 90, 97, 182, 207
応用編の現場　27, 43

カ行

解釈（→「転移解釈」も参照）　83, 135
学生相談室　24
学校教育現場　20
患者自身の心の世界との関わり　120, 121, 124, 134
患者理解
　　患者自身による――　99
　　紹介者による――　99
患者専用のストーリー（精神力動的フォーミュレーション）　139
患者と対象との関わり　120, 121, 134
緩和ケア（→「医療現場」も参照）　26
逆転移（→「転移・逆転移」も参照）　122, 135
協働　27, 28
恐怖　72, 103
空想　23
継時的変化　114, 121, 133, 138, 170
芸術療法　152
限界
　　――がない世界　33
　　アセスメント・コンサルテーションの――　169
　　心理療法家の――　31
　　精神分析的心理療法の――　29
攻撃性・破壊性　46
行動療法　152
心からの共有　101
心の真の接触　23
固着点　127
コミュニケーション　17
コンサルテーション　7
　　紹介者に対する――　76, 118

サ行

資源配分　33
事実関係　70

紹介状　34, 35, 73, 99, 181
象徴機能　127
象徴的言語　131
情緒的実感　23
情緒的な心の接触　65
衝動性・破壊性　52
心的発達段階　120, 121, 127, 134
心理検査　16, 18
心理的な三次元空間　120, 121
心理療法家の未消化・未解決の問題　47
スクールカウンセラー　42
スーパーバイザー　48
スーパービジョン　19, 44, 175
　　――の目的　49
精神－性的発達理論　127
精神分析的カップル療法　42, 151
精神分析的グループ療法　42, 151
精神分析的個人療法　151
精神分析的コンサルテーション　42, 151
精神分析的心理療法　22, 42
　　――の原則的な姿　23, 26
　　――の限界　29
精神分析的短期療法　67
世界観　23, 100, 101, 171
全体的で個人的なストーリー　24
選択肢（→「治療選択肢」も参照）　143
双方向コミュニケーション　6, 17, 36

タ・ナ行

退行　128, 133
対象関係　23, 70
誰かを伴って現れる場合　68
治療選択肢　9, 11, 36, 41, 51, 90, 146, 150, 193
治療的体験　18
手紙
　　患者への――　159
　　紹介者への――　81, 82, 155, 199
　　将来の自分および同僚への――　159
手持ちの札　41
　　自分の――　34
　　組織・現場の――　34
転移解釈　100, 101, 125, 134, 138
転移・逆転移　18, 22, 46, 65, 71, 78, 87, 100, 138, 178
同居する子どもがいる場合　54, 152
トーキング・セラピー　145
認知行動療法　152

ハ・マ行

パラダイム（理論的枠組み）　49
反応　121, 135, 137
微細な変化　134
不安　21, 65, 72, 91, 103, 129, 130, 164
父権主義的　17, 71
ブレイクダウン　128, 148
文脈の理解　111
学びながらの実践　43
無意識　17, 22, 24, 106
　　――的な意味　115
妄想分裂ポジション　127, 129, 135
　　――的世界　129, 136
モチベーション　117, 170

ヤ・ラ・ワ行

薬物療法　152
夢　17, 62, 65, 90, 95, 100, 105, 110, 121, 141, 177, 184
　　――を聴くように聴く　116

良い対象・悪い対象　129
抑うつポジション　129, 130
　——的世界　136
リスク　87, 161
　——査定　16, 71
　——要因　161

理想通りではない環境　60
料金が高額すぎて支払えない　64
倫理的義務　43
レビュー・コンサルテーション　67, 149
連絡ミス　61

＊目次も索引的に使用できるよう，各章・項目の見出しを詳しく具体的にしてあります。どうぞご活用下さい。

著者紹介

仙道由香（せんどう　ゆか）

精神分析的心理療法士（日本精神分析学会および Brithish Psychoanalytic Council 登録）。臨床心理士（日本・英国）。総合病院精神科や精神科病院等での勤務経験ののち，2008年英国タビストック・クリニック留学。同クリニック成人部門での臨床トレーニングを修了し，Tavistock Centre Qualification in Adult Psychotherapy 取得。
現在，個人開業（新大阪心理療法オフィス）のほか，大阪経済大学兼任講師なども務めている。
新大阪心理療法オフィス　https://sopsychotherapy.com
個人公式 Web　https://yukasendo.com

心理療法に先立つアセスメント・コンサルテーション入門

2019年10月25日　第1刷発行
2025年6月1日　オンデマンド版発行

著　者	仙　道　由　香
発行者	柴　田　敏　樹

発行所　株式会社　**誠 信 書 房**

〒112-0012　東京都文京区大塚 3-20-6
電話 03（3946）5666
https://www.seishinshobo.co.jp/

©Yuka Sendo, 2019　　Printed in Japan　印刷／製本：デジタルパブリッシングサービス
落丁・乱丁本はお取り替えいたします　　ISBN 978-4-414-93028-3 C3011

JCOPY ＜(社)出版者著作権管理機構　委託出版物＞
本書の無断複写は著作権法上での例外を除き禁じられています。複写される場合は，そのつど事前に，(社)出版者著作権管理機構（電話 03-5244-5088, FAX 03-5244-5089, e-mail:info@jcopu.or.jp）の許諾を得てください。